無用の効用

L'utilità dell'inutile

ヌッチョ・オルディネ｜著
Nuccio Ordine
栗原俊秀｜訳

河出書房新社

無用の効用——目次

第2部　企業としての大学と、顧客としての学生　137

無用の効用

きみがきみのバラのために失った時間こそが、きみのバラをかけがえのないものにしているんだよ。

アントワーヌ・ド・サン＝テグジュペリ

ロザリアへ

はじめに

哲学の役割とは、まさしく、「役に立たないものが役に立つ」ことを明らかにすることにある。あるいは、こう言ってよければ、「役に立つ」という言葉がもつふたつの意味を区別できるように、人びとに教えることにある。

ピエール・アド『精神的な実践と古代哲学』

「無用の効用」、言い方を換えるなら、「〈役立たず〉が〈役に立つ〉」。まずは、このおかしなタイトルについて説明しておきたい。いまの社会は、人文学（世間では「文系」と呼ばれる分野）の知識、もっと広く言えば、利潤を産みださない知識全般を、「役立たず」と捉えている。この本では、「役に立つ（立たない）」という言葉の意味を、まったく別の観点から考えてみたい。この世には、実用的な目的にとらわれない、「知ること」そのものが目的であるような知識がある。そうした知識がどう「役に立つ」のかを明らかにすることが、この本のテーマである。私欲のために用いられるのではない、無償の知。実地での応用など考えない、金もうけとは無縁の知。それは、わたしたちの社会を発展させ、文化を育てていくうえで、なくてはならない役割を果たす「知」でもある。わたしはこのような観点から、わたしたちをより良く導くすべてのものを、「役に立つ」と見なしたいと思うのだ。

だが、いまや利潤の論理は、教育・研究のための機関（学校、大学、研究所、博物館、図書館、文書館など）や、さまざまな学問分野（文系と理系とを問わず）を、根っこからおびやかしている。学問や学校の価値は、そこで扱われる知識それ自体によって決まるのであって、目先の収入や具体的な利益をもたらす「稼《かせ》ぐ力」とは関係がないはずなのに。たしかに、博物館や考古学の発掘現場が、ばかにならない利益を産みだすこともあるにはある。だが、一部の人たちがかたくなに主張するのとは反対に、この種の施設の目的はやはり、金を稼ぐことにあるのではない。博物館や発掘現場は、図書館や文書館と同じように、共同体が大切に、力を合わせて守っていかなければならない宝なのだ。

したがって、経済危機のさなかにあってはなにもかもが許されるという考えは正しくない。そして、「コスト削減」という圧縮ローラーでもって、あらゆる無用なものをシステマチックに押しつぶしていくことを、株の価格差やら債券の金利差やら（投資家が「スプレッド」と呼んでいるもの）が正当化するという考えは、まったくの誤りである。ここ最近、ヨーロッパ経済という劇場の舞台には、債権者と債務者がかわるがわる現れては消えていく。政治家の会合でも、メガバンクの重役会議でも、議題にのぼるのは金勘定だけというありさまだ。ヨーロッパは、自分で自分のまわりに竜巻を引き起こし、その竜巻にもてあそばれている。負債を返済できるのかという不安が高じるあまり、望んでいるのとは正反対の結果を招き寄せている。多くの経済学者が指摘しているとおり、緊縮主義という劇薬は、病人（ヨーロッパ）を癒すどころか、手の施しようがないほどに衰弱させている。景気後退をもたらした張本人たちは、企業や国家がなぜ負債を背負いこんだのかということは問おうともしない。不思議なことに、財政規律の大切さを説く人びとは、元政治家、経営者、銀行家、上級コンサルタントらに支払われる、目玉の飛び出るような報酬には無関心なようだ。そうして、中流階級や、もっとも弱い立場に置かれた人たちが、負債を肩代わりさせられる。何百万という罪のない人びとが、尊厳を奪われている。

わたしはなにも、「収支が合うようあくせくするより、小ずるく責任を回避しよう」と呼びかけているわけではない。だが、健全な財政という名のもとに、「人間らしさ」や「連帯（団結）」といった考え方がことごとく破壊されてきた事実は、やはり指摘しておかなければならないだろう。銀行や債権者は、借金を返済する余力がない人間にたいし、『ヴェニスの商人』のシャイロックよろしく、生きたまま一ポンドの肉を差し出すよう求めている。こうして、何十年にもわたって利益を私物化しておきながら、損失のほうは社会に分担させてきた多くの企業が、情け容赦なくリストラに精を出すのだ。政府はそのかたわらで、雇用や、教育や、障害者向けの福祉事業や、公衆衛生のための予算を削りつづけている。「権利をもつ権利」――かつて政治哲学者のハンナ・アーレントが用いたこの表現は、イタリアの法律家で政治家でもあるステファノ・ロドタの重要な著書のタイトルでもある――がマーケットの支配下に置かれ、社会からはますます、「他者への敬意」の居場所が失われつつある。この悪《あ》しき経済のメカニズムは、人間を商品と金銭に変えながら、祖国も慈悲ももたない怪物に生命を吹きこみ、未来の世代からあらゆる希望を奪い去ろうとしている。

市場ではいま、ギリシアのＥＵ離脱を回避すべしという偽善的な声があがっている（ギリシアの代わりに、イタリアやスペインが槍玉《やりだま》にあがる日も近いだろう）〔この文章が書かれたのは、ギリシアのデフォルトが危ぶまれて世界経済を混乱させていた二〇一〇年代前半〕。こうした主張は、文化的、政治的に見てなにが正しいかという判断よりも、冷ややかで機械的な計算にもとづいている。つまり、「ギリシアの離脱によって生じる混乱は、公債の未返還によって引き起こされる損失よりも重大である（だから、ギリシアをＥＵから締め出すのはやめよう）」というわけである。「西洋の知はもとをたどれば、ギリシアの言語と文明に根を張っており、ギリシア抜きのヨーロッパなど想像することもできない（だから、ギリシアをEUから締め出すのはやめよう）」などという主張は、誰からも相手にされない。ギリシアは何世紀にもわたって、造形芸術、文学、音楽、哲学、科学、建築の各分野において、途方もない遺産をヨーロッパに提供してきた。ギリシアが銀行に負っている「借り」には、ヨーロッパがギリシアに負っている「借り」を、きれいに帳消しにする力があるとでもいうのだろうか？

こんな野蛮な時代にあって、「役に立たない知の有用さ」は、現代社会では支配的な「有用さ」と鋭く対立する。経済的な利益の名のもとに、過去の記憶、人文科学、古典語（ギリシア語やラテン語）、教育、自由な研究、想像力、芸術、批判的思考など、人間のあらゆる活動を後押ししてきた文明の息吹《いぶき》が、徐々に根絶やしにされようとしている。実際のところ、実利主義が幅を利かせる世界では、交響曲よりもハンマーが、詩よりもナイフが、絵画よりもスパナが価値をもつ。工具の使い道は簡単に理解できるのにたいし、音楽や、文学や、美術がなんの役に立つのかを理解することは、はるかに難しいからだ。

十八世紀フランスの思想家ルソーはこう言った。「古代の政治家は絶えず、作法と美徳について語っていた。わたしたちの時代の政治家は、商売と金銭のことしか語らない」。利潤を産みださないものは、余分な贅沢《ぜいたく》、危険な障害物と見なされる。同じく十八世紀フランスに生きた思想家ディドロも、こう言っている。「役に立たないあらゆるものは軽蔑される」、なぜなら、「意味のない思索のために浪費するには、時間はあまりにも貴重である」から。

詩人をアルバトロス〔アホウドリ〕になぞらえた、シャルル・ボードレールの有名な詩句を思い起こせばじゅうぶんだろう。大空を統《す》べる巨大な支配者も、ひとたび人間のあいだに降り立てば、俗世間の利益しか目に入らない見物人から嘲笑を浴びる羽目になる（「空を飛ぶ旅人の、なんと無様《ぶざま》で無力なことか！　かくも美しき鳥が、なんと滑稽《こっけい》に、なんと醜悪に見えることか！　ある者はパイプでくちばしをつつき、またある者は、不格好な鳥をまねようと足を引きずる」）。十九世紀フランスの作家フローベールは『紋切型辞典《もんきりがた》』のなかで、皮肉と悲嘆をにじませつつ、詩を「まったく役に立たないもの」と定義している。というのも、詩は「時代遅れ」であり、詩人は「愚か者」で「夢想家」の同義語だから。こうなっては、ドイツの詩人ヘルダーリンのとある叙情詩の、崇高な響きをもった最終行も形《かた》なしである。ヘルダーリンはそこで、詩人が果たす重要な役割を想起しつつ、次のように書いているのだが……「けれども、後に残るものを打ち立てるのは、ひとり詩人のみである」

本書の各章は、全体的な統一を目指して書かれたものではない。それぞれのページには、わたしの思考の断片的な性格がそのままに反映されている。そう考えると、〔イタリア語原書に附された〕「マニフェスト」という副題は、なんともおおげさに思われるかもしれない〔「マニフェスト」は「宣言」の意。たとえばマルクス、エンゲルス『共産党宣言』の「宣言」に相当するのは、ドイツ語の Manifest〕。このような副題をつけたのは、本書の執筆に取り組むあいだ、わたしがつねに、闘いの場へおもむく戦士のような心持ちでいたからである。わたしはただ、教育と研究に捧げてきた歳月を通じて収集したさまざまな思想や引用句を、開かれた容《い》れ物のなかにまとめてみたいと考えた。完全な自由のもと、どのようなしがらみとも無縁に、わたしはこの仕事に打ちこんだ。もちろん、完璧からはほど遠い、偏《かたよ》ったスケッチであることは自覚している。名詩選やアンソロジーの類いに親しんでいる読者であればよくご存じのとおり、この手の書籍では、収録された箇所よりむしろ、選にもれた部分が重要であるということがめずらしくない。そうした限界を自覚したうえで、わたしは本書の内容を三つのパートに分割した。第1部は、「文学は〈役立たず〉だが〈役に立つ〉」という主張を扱っている。第2部で検討するのは、教育や研究といった分野、そして、文化的な活動全般にたいして、利潤の論理がおよぼしている深刻な影響について。続く第3部では、先人の輝かしい仕事を参照しながら、いくつかの古典の読みなおしを試みている。古典は過去何世紀にもわたって、「所有すること」には見せかけの価値しかないことを指摘し、所有という行為が人間の尊厳《ディグニタース・ホミニス》、愛、真理を損なうことを明らかにしてきた。

アリストテレスの思想や、エウクレイデス〈ユークリッド〉やアルキメデスといった偉大な科学者にまつわる逸話が伝えているとおり、利得とは関係なく純粋に「知ること」だけを目指す科学と、もっぱら実用を目的とする応用科学とは別物であるという認識は、古代人のあいだで広く共有されていた。

とはいえ、ふたつの科学（応用科学と、「知ること」だけを目的とする科学）はどう違うのかという魅惑的な問いには、わたしたちをはるか遠くまで導く力がある。ここでわたしが強調したいのは、「質〔クワリタース〕」ではなく「量〔クアンティタース〕」を測るための器具では、計量することも測量することもできない価値にこそ、根本的な重要さが備わっているという事実である。いつになれば手にできるのか定かでない見返り、そしてとりわけ、換金可能ではない見返りをもたらす「投資」の本質的な性格を、いまこそ思い出す必要がある。

金《かね》は万能だとする実利主義の狂気にたいし、「知」はそれ自体として防壁の役割を果たす。なるほど、たしかに、この世に金で買えないものはないように見える。国会議員から裁判官にいたるまで、権力から成功にいたるまで、それぞれに相応の値札がついている。しかし、知識は違う。「知る」ために支払わなければいけない対価は、金銭とはまったく違う性質をもったなにかである。個人の努力と、尽きることのない情熱によってのみ実る果実は、まっさらな小切手を用意したところで手に入るわけではない。体のうちから湧《わ》きでる強い動機づけの結果でないのなら、大金を積んで有名大学の卒業証書を取得したところで、ほんとうの知識を得ることも、内面の変化（精神の成長）を経験することもない。『饗宴《きょうえん》』のなかでソクラテスも、アガトンにたいして似たようなことを言っている。残念ながら知恵というのは、満杯の容器からからっぽの容器へ水が流れていくように、ある人物から別の人物へ、自動的に伝わっていくものではない。

そうだったらいいんだけどね、アガトンよ。たくさん入った杯からすこししか入っていない杯へ、羊毛の糸を通じて水が流れていくように、わたしたち人間もたがいに触れあってさえいれば、より満ちている方からより欠けている方へ、知恵が流れていくのならね。

知と金をめぐる話はまだ続く。知とは、市場の法則に反旗をひるがえすための、ほとんど唯一の手段である。というのも、わたしはみずからの知識を、自分自身の蓄えをまったく減らすことなくほかの誰かと分かちあえるからである。教員が学生に相対性理論を教えたり、いっしょにモンテーニュの一節を読んだりするとき、わたしたちは奇跡的な循環を経験する。そこでは、与える者と、受けとる者とが、同時に豊かになるのである。

もちろん、「経済人《ホモ・エコノミクス》」が統《す》べるわたしたちの世界において、「無用な有用さ」と「有用な無用さ」を区別するのは、けっして簡単なことではない（どれほどたくさんの商品が、たいして必要でないにもかかわらず、「とても役に立ちます」、「なかったら困ります」という触れこみのもと、わたしたちに売りつけられていることだろう！）。精神の世界にどんどんと砂漠が広がっているのにも気づかず、金銭と権力を積みあげることにのみ汲々《きゅうきゅう》としている人びとを見るのは苦しい。詐欺《さぎ》まがいの行為で帝国を打ち立てるまでになった企業家や、国会を侮辱してみずからのための法案を可決させ、それでも罰を受けることのない政治家の姿が、まるで新しい成功のモデルのごとくに、テレビやほかのメディアでもてはやされる光景を見るのは苦しい。自分を取り巻くすべてのもの、自然にも、道具にも、自分以外の人間にも、もはやなんの関心も持てなくなったために、利潤という約束された土地へ続く道を狂ったように突き進む人びとの姿を見るのは苦しい。到達すべき目的地に釘づけになった眼差しには、日々の小さな身ぶりから生まれるささやかな喜びを味わうことはできない。わたしたちの生においてかすかに震える美、たとえば夕日、星空、口づけの優しさ、咲きかけのつぼみ、蝶々の舞い、子どものほほえみ、そうしたもののうちでひそやかに息づく美……目的地に視線を釘づけにした人びとは、これらすべてを見逃したまま突き進む。

わたしたちは時として、単純な事物と向き合ってこそ、偉大なものをよりしっかりと感じとることができるのに。

フランスの劇作家ユージェーヌ・イヨネスコは、次のように指摘している。「役に立たないものが役に立ち、役に立つものが役に立たないということがわからない者には、芸術を理解することもできない」。イヨネスコよりもはるかに早く、岡倉覚三（天心）が「役に立たないものの有用さ」について書いているのも、偶然の一致とは思えない。岡倉は、恋人に花輪を捧げる喜びのうちに、ヒトという種が獣性から脱する瞬間を見てとったのである。『茶の本』のなかで、岡倉はこう書いている。「無用なものの用を認めたとき、人は芸術の王国に入ったのである」。ここでは、ひとつの行為に、ふたつの「余剰」が含まれている。花（目的）と、それを摘《つ》む身ぶり（動作）は、どちらも「役に立たないこと」の象徴であり、「必要」や「実益」といった考え方に揺さぶりをかけている。

詩想を養うには、計算や性急さと距離を置くしかないということを、ほんとうの詩人はよく心得ている。プラハ生まれのドイツの詩人ライナー・マリア・リルケは、『若き詩人への手紙』のなかでこう書いている。「芸術家であるということは、計算したり、数えたりするのでなく、樹木のように成熟していくということです。樹液の流れを追いたてるような真似はせず、夏が来ないのではないかという不安など抱かずに、春の嵐のなかに悠然と立つことです」。詩の言葉は、「有用さ」という性急なロジックには従わない。むしろ、フランスの劇作家エドモン・ロスタンの戯曲の最終場面で主人公のシラノが語っているとおり、役に立たないこと（無駄）は時として、物事をより美しくするために必要とされる。

「なんだと？　いまさら抵抗しても……無駄だって？　勝つ望みがあるから闘うわけじゃない！　そうじゃないんだ。無駄だとわかっているときに闘う方が、ずっと美しいのさ！」

食事や呼吸を必要とするのと同じように、わたしたちは「無駄（役に立たないこと）」を必要としている。ここでもう一度、イヨネスコの言葉を引こう。「詩、それは想像と創造の必要であり、呼吸と同じく根本的なものである。息を吸うことは生きることであって、生から逃れることではない」。イタリアの哲学者ピエトロ・バルチェッローナが力説するとおり、まさしくこの呼吸こそが、「目に見えない形で循環するエネルギー、生を越えてゆき、しかし生のうちにとどまるエネルギー」となって、「生そのものにたいする生の過剰」を表現するのである。事実、より良い世界について考えようとする衝動は、「余剰」と見なされる活動の根底にこそ見いだされる。そして、社会にはびこる不公正、わたしたちの意識に岩のようにのしかかる重苦しい不平等を、消し去るとまでは言わずとも、せめて和らげてくれるユートピアを思い描くのは、「過剰な生」を生きる者の特権でもある。とくに、経済危機の時局にあって、実利主義と、ゆがみきった利己主義だけが、ただひとつの導きの星であり、ただひとつの頼みの綱であるように思える状況下では、なんの役にも立たない活動こそが、わたしたちを牢獄から逃れさせ、窒息から救うのだということを、はっきり認識しておかなければならない。平板な生、「生ならざる生」を、精神や人間的な事柄のための好奇心によって指針を与えられる躍動的な生に変えるには、「役に立たない」と思われる行為がなんとしても必要なのである。

生物物理学者で哲学者のピエール・ルコント・デュ・ヌイが、「〈自然の階段〉のなかで、ただ人間だけが、無駄な行為を敢《あ》えてする」という事実について考察を促す一方、ふたりの精神療法医（ミゲル・ベナサジャグとジェラール・シュミット）は、「役に立たないものの有用さとは、生の、創造の、愛の、欲望の有用さである」ことを示唆している。というのも、「役に立たないものは、わたしたちにとってより役に立つもの、社会がこしらえた蜃《しん》気楼《きろう》の向こうに、近道を通ることも時間稼ぎすることもなしに創造されるものを産みだすから」である。二〇一〇年のノーベル文学賞授賞式のスピーチで、マリオ・バルガス・リヨサが次のように語ったのも、同じような考えを共有していたからこそだろう。「文学のない世界は、欲望の、理想の、抵抗のない世界に変質するでしょう。それは機械仕掛けの世界であり、人間を人間たらしめるものを欠いた世界です。自分自身から抜け出て他者に変身する能力、わたしたちの夢という粘土から造形された無数の他者に変身する能力が奪われた世界です」

ひょっとしたら、十九世紀イギリスの作家オスカー・ワイルドも、「現代の生活では、余剰《マージン》こそがすべてですもの」というアーリン夫人の言葉を通じて――おそらくはヴォルテールの有名な詩句「余剰、それはこのうえなく必要なもの」を想起しながら――作家というみずからの職業の「余剰性」を暗示しようとしたのではないだろうか。ワイルドはこの「余分なもの」を通じて、「必要」から逃れるもの、「必須」ではないもの、「本質」を越えるものを表現するのである。それは、言い換えるなら、絶えず更新される流動的な生に合致するなにか、そしてまた——ワイルドの『ドリアン・グレイの肖像』の序文にある一節、「あらゆる芸術はまったく役に立たない」が示唆するように——「無用」という概念そのものに合致するなにかでもある。

それにしても、よくよく考えてみるなら、芸術作品はみずから望んでこの世界に生まれてきたわけではない。あるいは、またしてもイヨネスコの言葉を参照するなら、芸術作品は「子どもが生まれようとするのと同じ仕方で」生まれるだけである。「社会は子どもを横取りしますが、子どもは社会のために生まれるのではありません。子どもはただ、生まれるために生まれるのです。芸術作品もまた、生まれるために生まれてきます。作者にみずからの生を押しつけ、社会から呼ばれたかどうかなど問うことなしに、〈わたしを存在させろ〉と要求してきます」。このことは、社会が「芸術作品をわがものにできる」ことを否定しない。そして、たとえ社会が「芸術作品を望むように利用できる」としても——芸術作品を「糾弾したり」、あるいは、「破壊したり」できるとしても——次の事実は変わらずに残る。「芸術作品は、ある社会的な機能を果たしたり、果たさなかったりするでしょうが、しかし、芸術作品とこの社会的な機能は、イコールではありません」。イヨネスコの結論はこうである。仮に、「芸術は絶対になにかの役に立たなければいけないと言うのなら、わたしはこう答えましょう。この世には、なんの役にも立たない活動があり、なんの役にも立たないことが必須であるような活動がある。そのことを人びとに教えるうえで、芸術は役に立つに違いない、と」

ここまでに書いたようなことを踏まえなければ、歴史のパラドクスを理解するのは難しいだろう。まさしく、野蛮な精神が優位に立つ時代において、狂信的な憎悪は人間のみならず、図書館や、芸術作品や、モニュメントや、そのほかさまざまな傑作へ襲いかかってくる。このとき、破壊的な狂気は、ふだんであれば「役立たず」と見なされているものへ牙《きば》をむく。匈奴《きょうど》に蹂躙《じゅうりん》された洛陽《らくよう》〔中国の河南省にある古都〕の文書館。異端審問にともなう禁書目録の作成。偏狭《へんきょう》な司教テオフィルスの命令で火にくべられた、アレクサンドリア図書館の異教の書物。ナチスがベルリンで焚書《ふんしょ》にした、「非ドイツ的な」書物。アフガニスタンでターリバーンに徹底的に破壊された、バーミヤーンの見事な仏像。あるいはここに、ジハーディストに脅かされているサヘル〔サハラ砂漠南縁の草原地域〕の写本や、ティンブクトゥ〔アフリカのマリ中部ニジェール川付近の町〕のアル・ファルク像を加えることもできるだろう。役立たずで、無防備で、寡黙《かもく》で、無害であるはずのものが、ただそこに存在しているというだけで、これほどたびたび「脅威」と見なされてきたのである。
見境のない戦争の暴力によりがれきの山と化したヨーロッパで、二十世紀のイタリアを代表する哲学者ベネデット・クローチェは、「新たなる蛮族」が到来する予兆を見てとった。この勢力は、偉大な文明の長い歴史でさえ、ほんの一瞬で灰に変えてしまう。

野蛮な精神が息を吹き返すと、その文明の担い手たる人びとが抑圧され迫害されるだけではない。その人たちにとって、ほかの仕事を実現するための道具であった仕事まで、野蛮な精神は根絶やしにしようとする。美のモニュメント、思想の体系、高貴な過去について伝えるあらゆる証言が破壊される。学校は閉鎖され、博物館、図書館、文書館は、収蔵物を散逸させられたり、燃やされたりする［……］。具体的な例を探し求めて、遠い過去まで歴史をさかのぼる必要はない。というのも、わたしたちの時代は、もはや恐怖心すら麻痺《まひ》するほどに、そうした事象であふれかえっているのだから。

もっとも、二十世紀ラテンアメリカ文学の旗手であるボルヘスが書いているとおり、（破壊者ではなく）城壁の建造者が、書物を火にくべることもある。なぜなら、破壊者も、建造者も、「過去を燃やすこと」に関心を向ける点では変わらないからである。

何日か前、こんな文章を読んだ。中国に、ほとんど永遠に続くかと思えるほどの城壁の建造を命じた男がいた。秦《しん》の始皇帝だ。彼はまた、彼よりも前の時代に書かれた、すべての書物を火にくべるように命令した。ふたつの遠大な企て——匈奴の侵入を防ぐための、五百または六百レグア（約三千キロ）の石の壁と、歴史（過去）の厳密な廃棄——がひとりの人物によって実行され、ある意味でこの人物を象徴しているという事実は、不思議とわたしに満足を与え、しかも同時に、不安な気持ちを抱かせた。

「運命の女神の紡《つむ》ぎ車」の最下部に転落し、ついに底に触れた瞬間、「崇高」は姿を消す。まさしく、もっと豊かになろうと目論《もくろ》むときに、人間はますます貧しくなるということである。『ストア派のパラドクス』のなかで、キケローは次のように警告している。「もし、事あるごとに偽り、ごまかし、もうけ話を探してたくらみ、盗み、力ずくで奪い、仲間からだましとり、公金を横領するなら〔……〕、どうか、教えてほしい。これらの振る舞いがふさわしいのは、豊かな財産をもつ者か、それとも、まったく財産をもたない者か?」

わたしたちの時代まで残った古代の文芸論のうち、もっとも重要な作品のひとつが、ロンギノス著とされる『崇高について』である。著者は同書の末尾において、ローマにおける雄弁と知の退廃を引き起こし、共和国政体が倒れたあとに偉大な作家が現れることを不可能にした要因について、明確に指摘している。「富への熱望は〔……〕わたしたちを奴隷にして〔……〕魂をさもしくします」。金銭という偽りの偶像に忠誠を捧げる利己主義者は、「もはや高みを見ようとはせず」、ついには「魂の偉大さ」が滅びるに任せるようになる。道徳の退廃が進み、「堕落がわたしたちひとりひとりの生全体の支配者となるとき」、崇高の概念はわたしたちのもとを去っていく。ロンギノスが注意を促しているように、崇高が存在するためにもやはり、自由が必要となるのである。「自由は、偉大な精神の感覚を養い、それに希望を与えるものです」

十六世紀イタリアの哲学者であるジョルダーノ・ブルーノもまた、知の破壊の責任、そして、文明的な生の基盤となる本質的な価値の破壊の責任を、金銭への愛のうちに見てとっている。『広大者について』のなかでブルーノは、次のように書いている。「学派を構成する学識者たちが、営利目的で自分たちの学説を利用しはじめるなり、英知と公正はこの地上を見放しにかかった［……］。信仰も哲学も、同様の振る舞いによって台なしにされて地べたに横たわり、国家や王国や帝国は、賢人や王侯や民衆もろとも、転覆させられ、破滅させられ、追放される」

「マクロ経済学の父」と呼ばれるジョン・メイナード・ケインズでさえ、一九二八年に行われたある講演のなかで、経済的な生活の根拠となる「神々」に、否定しようのない「悪」の性質が宿っていることを認めている。それは「必要悪」の一種であって、わたしたちは「少なくともあと百年」のあいだ、「〈きれいはきたない、きたないはきれい〉（良いは悪い、悪いは良い）〉の振りをしなければ」ならない。「なぜなら、〈悪い〉は役に立つのにたいし、〈良い〉は役に立たないから」である。要するに、人間はもうしばらくのあいだ（一九二八年の百年後だから、二〇二八年まで！）、「吝嗇《りんしょく》、高利貸し、強欲」を、「経済的な必要性というトンネルを抜け、その先に光を見いだす」ために不可欠な悪徳として、容認しなければいけないというのである。そうして、広く繁栄が行き渡ってはじめて、孫たち――この講演には、「孫の世代の経済的可能性」という、じつに含意の深いタイトルがついている――はついに、「良い（善）」ことが「役に立つ」ことよりも優れていることに気づくだろう。

この段階に達してはじめて、信仰上の道徳律や堅固な価値観を、自由に取り戻せるようになると思うのです。そのときわたしたちは、吝嗇を悪徳と見なし、高利貸しを咎《とが》めるべき行為と捉え、金銭への愛を忌《い》まわしく感じるようになるでしょう。未来のことを考えてくよくよしたりしない人間こそが、美徳の道、健全な知の道を歩むのです。わたしたちはあらためて、手段よりも目的に重きを置き、「役に立つこと」よりも「善」を重視するようになるでしょう。一時間を、一日を高潔に、有意義に過ごす方法を教えてくれる人間、事物を深く味わうことのできる繊細な人びと、働きも紡ぎもしない野の百合《ゆり》を、心から尊ぶようになるでしょう。

あいにく、ケインズの予言はまだ現実となっていない。残念ながら、今日の社会にあって優勢な経済は、生産と消費にばかり関心を向け、実利主義的な市場の論理に従わないすべてのものに軽蔑の視線を注いでいる。つまり、日常のうちにささやかな美を見てとる「喜びの技法」は、いまなお利潤のために犠牲にされつづけているのである。それでも、生の本質は「役に立つこと」よりも「善（商業主義に染まった民主主義がつねに「役立たず」と見なすもの）」に合致するというケインズの力強い断言は、わたしたちに貴重な示唆を与えている。

ケインズに遅れること約十年、フランスの思想家ジョルジュ・バタイユもまた、『有用性の限界』という著書のなかで、反‐実利主義に配慮した経済について考える必要がありはしないかと、経済学者とは大きく異なる見地から問いを立てている。ケインズと違って、このフランスの哲学者は、経済活動に宿るとされる高貴な目的とやらに、なんの幻想も抱いていない。というのも、「資本主義は、人間が置かれている状況を改善しようなどという意図とはまったく無関係」だからである。見かけ上は「生活水準の向上を目的として」掲げているようではあるけれども、それはあくまで「まやかし」でしかない。事実、「現代の工業生産は、生活の平均レベルを上昇させつつも、階級間の格差は放置している。貧者の困窮にたいしては、行き当たりばったりの対策を講じているに過ぎない」。こうした状況下では「余剰」だけが――それが「生産」のために利用されない場合にかぎって――「芸術の、詩の、人間の生の充実の、もっとも美しい成果」に結びつく可能性を秘めている。富の蓄積や増大とは縁遠い、この「余分な」エネルギーなくしては、「生産の増大にしか興味がない世界を支配している卑屈な分別」から、生を解放することはできない。

一方で、パリに生まれ、ナチスの迫害から逃れるために幼少期にアメリカに亡命した哲学者ジョージ・スタイナー――「精神の生命に恵みをもたらす」古典や、人文科学的な諸価値の頼もしい擁護者《ようご》――は、悲しげな筆致でこう書いている。「高度な文化も明晰《めいせき》な道徳も、全体主義の野蛮さにたいする効果的な防壁とはならなかった」。いったいどれだけの思想家、芸術家が、全体主義の恐怖の前で無関心を貫き、さらに悪いことには、その黒幕である独裁者や政体の精神的な共犯者になりおおせてきたことだろう。スタイナーによって提示されたこの深刻な問題は、二十世紀イタリアを代表する作家カルヴィーノの『見えない都市』を締めくくる、マルコポーロとフビライ・ハンのきわめて美しい対話を想起させる。この疲れを知らない旅人は、皇帝の抱く不安を感じとると、わたしたちを取り巻く「地獄」の劇的な見取り図を提示してみせる。

生者の地獄とは、どこかから到来するものではありません。もし地獄があるとするなら、すでにそこにあるもの、それこそが地獄です。わたしたちが日々を送り、その一部として溶けこんでいる地獄です。苦しまないための方法は二つあります。一つ目は、多くの人びとにとって簡単に実践できるものです。地獄を受け入れ、それがもはや目に映らないほどに、地獄の一部分になってしまうこと。二つ目は危険をはらみ、絶えざる注意と修練を要求してきます。すなわち、地獄のなかに身を置きながら、誰が、そしてなにが地獄ではないのかを見きわめるように努め、それ「地獄ではないもの」を持続させ、拡張させていくのです。

しかし、いったいどうすればわたしたちは、「地獄のなかに身を置きながら」、「地獄ではない」ものを知覚できるようになるのだろう？　この問いに、はっきりとした答えを提示することは難しい。『なぜ古典を読むのか』と題された著書のなかでカルヴィーノは、「古典はわたしたちにとって、わたしたちが誰であり、どこにたどりついたのかを理解する助けとなる」ことを認めつつ、「古典が読まれなければならないのは、古典が役に立つからである」という考えに警戒するよう、読者に向けて呼びかけている。しかし、同時にカルヴィーノは、「古典を読むことは、読まないよりはましである」とも書いているのである。

　オランダの作家で神学者のロブ・リーメンは、正当にもこう指摘している。「愛と同じように、文化もまた、誰かになにかを強制する力はもっていない。文化はなにも保証しない。それでも、人間としての尊厳を手に入れ、大切に守っていこうとするなら、文化と、自由な教育に頼るほかない」。このようなわけだから、わたしはやはり、闘いつづける方がましだと信じている。抵抗し、希望の灯を守り、尊厳ある道を歩むための一条の光を垣《かい》間《ま》見《み》るには、古典や、教育や、芸術が産みだす余剰や、なんの利潤ももたらさない営みが、わたしたちの助けになるはずだから。

　この不確かな時代にあって、ひとつ確かに言えることがある。もし、無私の営みを滅びるに任せ、役に立たないものが産みだす力を手放し、利得を追い求めるようけしかけてくるセイレーン〔美しい歌声で船人を招き寄せて難破させる海の精〕の致命的な歌声にだけ耳を傾けるなら、わたしたちはもはや、記憶をもたない病んだ集団のメンバーとなるほかない。右も左もわからなくなったその集団は、ついには自己の感覚、生の感覚をも喪失するにいたるだろう。そうして、精神の砂漠化が完了してしまえば、この無知なる「叡知人《ホモ・サピエンス》」がその呼び名にふさわしい役割を担うことなど、もはや望むべくもない。人間を、より人間らしくしていくこと。それこそが、わたしたちに課せられた役割のはずなのだが……。

注記

この本には、わたしがここ十年のあいだにさまざまな講演や研究会――たとえば、二〇一二年四月、ポルト・アレグレにあるリオグランデ・ド・スル大学で名誉学位を授与された際の記念講演――で発信してきた内容が含まれている。エイブラハム・フレクスナーのエッセイ（*The Usefulness of Useless Knowledge*）について教えてくれた、プリンストン高等研究所の友人アーヴィング・ラヴィンに感謝する。二〇一一年六月、ナポリの「イタリア哲学研究所」で実施された研究会で、わたしは「人文学は役立たずだが役に立つ」というタイトルで講演した。ラヴィンはこの題目を見て、わたしがそれまで知らなかったフレクスナーの文章を送ってくれた。本書はまた、ジョージ・スタイナー、アラン・スゴンと交わした、生き生きとして忘れがたく、それでいて「役に立たない」対話に多くを負っている。カラブリア大学や、これまでわたしが教壇に立ってきたさまざまな大学の学生がいなければ、「役に立たないことの有用さ」の多くの側面を見過ごしていたことだろう。古典と文化の擁護のために、その全生涯と資力を捧げてきた、イタリア哲学研究所の所長ジェラルド・マロッタにも感謝する。

新たなパラグラフや引用を追加した本書のイタリア語版は、二〇一三年三月から六月まで、わたしがマックス・プランク科学史研究所の客員研究員としてベルリンに滞在しているあいだに執筆された。同研究所のユルゲン・レン所長、および、本書で扱われるテーマについて議論した同僚たちに、心からの感謝を捧げる。

本書を担当してくれた編集者（オリヴィエーロ・トスカーニ、シルヴィア・トラバットーニ）、草稿に注意深く目を通してくれた若い研究者（マルコ・ドンデーロ、マリア・クリスティーナ・フィゴリッツリ、ザイラ・ソッレンティ）に感謝する。エリザベッタ・ズガルビ、マリオ・アンドレオーゼ、エウジェニオ・リオの貴重な提言や、わたしの仕事への好意的な姿勢に、篤く感謝を捧げる。

第1部　文学は〈役立たず〉だが〈役に立つ〉

実際、これがガヴローシュの家だったのである。
おお、思いもよらない、役に立たないものの有用さよ!

ヴィクトル・ユゴー『レ・ミゼラブル』

1章　もたざる者は、在《あ》るべからず

南伊カラブリアの地で生きた革命志向の司祭ヴィンチェンツォ・パドゥーラ（一八一九―一八九三年）は、みずからの生涯を振り返った文章のなかで、家庭ではじめて授かった教えについて書いている。そのころ、パドゥーラはまだ若い神学生だった。父親からの意地悪な質問（「どの国の言葉でも、アルファベットのA《ア》がE《エ》よりも先にくるのは、どうしてだと思う？」）に満足のいく回答を与えられなかったパドゥーラは、真剣な面持ちで父の説明に耳を傾けている。「このみじめな世界ではな、〈もつこと《ア》〉が〈在ること《エ》〉なんだ。もたない人間は、いないのと変わらないのさ」。だから、アルファベットのA《ア》はつねにE《エ》よりも先にくる。だが、それだけではない。この「文明社会」では、もたない人びとは「子音のかたまり」を形づくる。そうすることで、「豊かな母音に音を合わせ、母音の振る舞いに付き従う。母音を抜きに子音を鳴らすなど、考えもおよばない」ことなのだ。

　それから約二世紀が経過した。パドゥーラの父が語る社会では、主人（A《ア》）と下僕（E《エ》）、搾取《さくしゅ》する富者と獣のような境遇に身を置く貧者が、厳格に二分されていた。わたしたちが生きる現代の社会からは、そのような（あからさまな）二分法は（ほぼ）姿を消したようにも見える。だが、「もつこと」を「在ること」よりも上に置く考え方、「どう在るか」より「なにをもつか」を重視する発想は、より洗練された形に進化して、いまも社会のあちこちに根を張っている。あらゆる分野の知識、日常におけるわたしたちのあらゆる行動が、利潤と所有の横暴によって支配されている。人の目に「どう映るか」が、「どう在るか」よりも大切にされる。見せびらかすことのできるもの——高級車やブランド時計、有名企業の肩書きや権威ある地位——は、文化や教育水準よりもはるかに高い価値があると思われている。

2章　利潤をもたらさない知は、役立たずである！

ここ数十年、人文学（文系）の知識は各方面から「役立たず」と呼ばれ、学校教育だけではなく、国家や私企業や財団の予算項目のなかでも軽視されてきた。利潤を産みださないことがわかりきっている分野に、なぜ投資しなければならないのか？　経済的なリターンをもたらすかどうかもわからない知識のために、なぜ予算を投じなければならないのか？

だが、「クアンティタース〔「分量、金額」を意味するラテン語〕」ばかりに重きを置き、「測れるもの」や「量《はか》れるもの」にしか価値を認めようとしない世の中にあって、文学（あるいは、文学以外の文系の知や、実用主義からは自由な理系の知）はきわめて重要な役割を担う可能性を秘めている。利潤の追求とは無縁な知の在り方が、現代の利己主義にたいする防壁となる。わたしたちの社会的な関係性や、心の内奥から湧きあがる感情さえ根こそぎにしかねない「野蛮な有用さ」に対抗するために、文学は解毒剤を提供してくれる。「無償であること」と「無私であること」。時代に逆行するこれらの価値に注意を向けるよう、文学はわたしたちに促してくる。

3章　「水ってなんだ？」——フォスター・ウォレスの小話

わたしは毎年、学期の最初に、ケニオン大学の卒業式でデヴィッド・フォスター・ウォレスが行ったスピーチを紹介することにしている。ウォレス——二〇〇八年、四十六歳で痛ましい死を遂げたアメリカの作家——は二〇〇五年五月二十一日、卒業生に向けて、文化の役割や機能をうまく伝える小話を披露している。

二匹の若い魚が泳いでいると、反対の方角から老いた魚がやってきて、二匹に向けてあいさつを送った。「やあ、お若いの。今日の水はどうだい？」二匹の魚はもう少しだけ泳ぎ、それから、一匹がもう一匹の顔を見て言った。「水ってなんだ？」

作家自身が、この小話の要点を説明してくれている。「この小話のポイントはこういうことです。誰の目にも明らかな、広く行き渡った重要な現実というものは、往々にして、理解したり議論したりすることがもっとも難しいのです」。わたしたちも、二匹の若い魚と同じく、毎分毎秒を生きている「水」とはほんとうのところなんなのか、正しく理解できているわけではない。自由や、公正や、平等や、民主主義や、政教分離《ライシテ》や、言論の自由や、寛容や、連帯や、公益といった観念が発展していくうえで、文学や人文学の知、文化や教育が理想的な「羊水《ようすい》」となってくれていることに、わたしたちは気づいていない。

4章　ブエンディア大佐の金の魚

ここで、何世代もの読者を魅了してきた小説をひもといてみよう。ガブリエル・ガルシア・マルケスの『百年の孤独』だ。おそらく、アウレリャノ・ブエンディアの光り輝く狂気のなかに、文学の「役に立たない豊かさ」を見てとることができるはずだ。革命軍の大佐ブエンディアは秘密の工房に閉じこもり、金貨と交換に金の魚を鋳造《ちゅうぞう》し、その金貨を溶かしてまた別の魚を鋳造する。母ウルスラは、息子の行く末を案じるあまり、この堂々めぐりに不安を抱くようになる。

度外《どはず》れた現実感覚を備えたウルスラは、こんなことをして大佐になんの得があるのかわからなかった。魚を金貨と交換し、金貨をまた魚に変え、それをひたすら繰り返す。売りあげが伸びれば伸びるほど、このいまいましい堂々めぐりを続けるために、大佐はますます熱心に働かざるを得なくなる。ほんとうのところを言えば、大佐の関心は稼ぎではなく、仕事の方に向けられていた。

大佐自身も、次のように告白している。「父親のお供をしてはじめて氷というものを見た、あの遠い日の午後以来、彼が幸福を感じるのは、金細工《きんざいく》の工房で金の魚を制作して過ごしているときだけだった」。マルケスはこうも書いている。

大佐は三十二度の戦争を戦い、死と交わしたあらゆる契約を反故《ほご》にして、栄光という堆肥《たいひ》の上を豚のように転げまわった。そうしてはじめて、約四十年も遠回りしたすえに、単純さの美点を見いだしたのだ。

おそらく、わたしたちが文学と呼んでいるものに生命を吹きこむ創造的な営みは、まさしくこの「単純さ」に基礎を置いているのだろう。利得の追求から離れたところで、自分の心を満足させるものにだけ向き合おうとする「単純さ」。それは無償の営みであり、いかなる具体的な目的も欠いている。そこには、どのような金もうけのロジックからも逃れる力がある。換金不可能という意味では、それはまさに「役に立たない」営みである。だが、同時にそれは、みずからの生き様（在り方）でもって、市場や利得が押しつけてくるルールに逆らい、別の価値を探求しようとする営みでもある。

5章　ダンテとペトラルカ――文学を金《かね》のために使ってはならない

西洋文学の創始者のなかにも、このテーマについて意見表明している書き手がいる。もっとも有名な例としては、ダンテ『饗宴《きょうえん》』が挙げられるだろう。ダンテはこの著作のなかで、「本来の目的」をなおざりにして金もうけのためだけに文学を学ぶ「偽文学者」のことを糾弾している。

この人たちを非難する意図で言うのだが、彼らを文人と呼んではいけない。なぜなら、彼らは本来の目的のためではなく、金銭や権威を得るために文学を学ぶからだ。演奏するためではなく、楽器を貸し出して金を得るために竪琴《たてごと》を家に置いている人物のことを、音楽家とは呼べないのと同じである。

ダンテが考える「文学」は、金もうけと結びついた卑《いや》しく実用主義的な目的とはなんの関係もない。イタリア文学史を代表する詩人ペトラルカもまた、散文と韻文《いんぶん》の両方で、知にたいする無私の愛について考えをめぐらせている。ペトラルカの詩には、富を積みあげるためだけに生きている、迷える「俗衆」への軽蔑が記されている（「金もうけのことしか頭にない俗衆は言う／哲学よ、お前は貧しく、丸裸のまま歩むがよい」）。『カンツォニエーレ』に収録されたこの有名なソネットのなかで、ペトラルカは高潔な友人に向けてこう呼びかけている。並大抵ではない苦労の報《むく》いが、月桂樹やギンバイカの栄光でしかなかったとしても、詩作という「高邁《こうまい》な仕事」を投げだしてはいけない、と。

喉《のど》　眠り　気だるい羽毛のふとん
この世からは　いっさいの美徳が追い払われ
悪習に負けたわたしたちの本性は
進むべき道を踏み外す

人間の生に指針を示す　天から注ぐ
暖かな光もことごとく消え失せ
ヘリコン山〔詩歌の女神ムーサが住むギリシアの山〕の清流から水をくもうとする者は
後ろ指をさされ　変人と呼ばれる

月桂樹やギンバイカの甘美さがなんだというのか?
金もうけのことしか頭にない俗衆は言う
「哲学よ、お前は貧しく、丸裸のまま歩むがよい」

別の道をともに歩むのは　ひとにぎりの仲間だけだろう
優しいきみに　心から願う
きみの高邁《こうまい》な仕事を　投げだしてはいけない

6章　ユートピア文学と黄金の便器

金銭（および金銀）、金もうけや商売を目的とするあらゆる活動にたいする軽蔑は、ルネサンスのユートピア文学のなかにも見てとれる。西洋文明から遠く離れた謎めいた場所にあるという、これらの有名な島々では、あらゆる形式の個人財産は公益の名のもとに断罪される。共有財産への愛にもとづいて設立された社会モデルは、個人の貪欲《どんよく》さとは相容れない。もちろん、客観的に見て、ここに示されている社会の在り方には明らかに無理がある。しかし、その点を差し引くなら、わたしたちはこれらの作品から、社会的公正や知識への軽蔑が大手を振っている今日の現実にたいして、断固とした辛辣《しんらつ》な批判を読みとることができる。要するに、ユートピア文学の著者たちは、人生の価値や、人と人のつながりのほんとうの意味を見失ったヨーロッパ社会を念頭に置いて、その欠陥や矛盾を明らかにしているのだ。

このジャンルの起源に位置するトマス・モア『ユートピア』（一五一六年）において、島民は黄金を嫌悪するあまり、それを便器（！）の材料にしている。

彼らは食べたり飲んだりするときには、陶器やガラス製の食器を用いるが、これらはじつに美しく作られている。しかし、値段は大したものではない。ところが、である。金や銀でもっぱらなにを作るかといえば、なんと便器である。汚ない用途にあてる雑多な器具である（これらは公共の施設でも、個人の家庭でも同じように用いられている）。［……］このように、およそ考えられるあらゆる手段を通じて、金銀は汚いもの、恥ずべきものという観念を人々の心に植えつけようとするのである［……］。

ユートピアの住人に言わせれば、「財産の私有が認められ、あらゆるものの値打ちが金銭で測られる」ような場所では、公正の実現や国家の繁栄は望むべくもない。

もっとも、公正が実現している場所では最良のものがことごとく最低の悪人の手中にあり、繁栄した国家ではあらゆる財産がごく少数の市民に配分されている、というなら話は別ですが。

同じように、ルネサンス期イタリアの哲学者トンマーゾ・カンパネッラが描く『太陽の都』の住人たちは、私有財産や所有の欲望のうちに腐敗の主たる原因を見いだしている。それは、人を「貪欲な民」に変える要因にほかならない。

彼ら［太陽の都の住人］が言うには、所有権というものは、わたしたちひとりひとりが家をもち、妻をもち、子どもをもつことから生じるのです。そして、私有財産から自己愛が生じてきます。息子を資産家や高官にしてやろうとか、立派な財産の相続人にしてやろうとかするあまり、各人は［……］貪欲な民となるわけです。

「英知」を文明の中心に位置づけるカンパネッラは、「富のせいで［人間は］横柄《おうへい》、傲慢《ごうまん》、無知、裏切り者、冷血漢《れいけつかん》、知ったかぶりのうぬぼれ屋」になると確信していた。太陽の都の住人は、「金銭への欲求から新しい国を探しにゆく」スペイン人と違って、ただ新しい知識を得るためだけに旅をする。

「ユートピア文学」の重要な一角を占めるフランシス・ベーコン『ニュー・アトランティス』では、私有財産の制度は否定されていない。とはいえ、ニュー・アトランティスの島民もやはり、「金銀、宝石、絹、香辛料、そのほか物質的な商品全般を得るために」交易に励むのではない。彼らはただ、「知識を増やす」ため、「世界中の発明」について情報を得るため、「あらゆる種類の書物」を手に入れるためだけに商《あきな》いをする。たとえ、「ソロモンの館《やかた》〔『ニュー・アトランティス』に登場する理想の学問の府〕」を特徴づけるエリート主義が、啓蒙主義的な進歩の観念、実践的な知識、人類にとって必要な技術の獲得を根拠にしているとしても、レーモン・トゥルソン（ベルギーの歴史家、文学者）が指摘するとおり、ベーコンの意図はやはり「経済的な性格をもったものではなく」、それはむしろ「近代科学が必要とする考え方」に基礎を置いていた。

富を追求すること、金銀の流通を許すことは、技術上の不確かさや腐敗のリスクと無縁ではいられない。この島の役人は、国家と公益の誠実な僕《しもべ》と見なされている。ベンサレム〔『ニュー・アトランティス』で描かれる架空の理想郷〕に偶然に漂着した外国人が驚きとともに語っているように、公僕としての倫理に忠実な役人たちは、金銭の謝礼を受けとろうとしない。

暇乞《いとまご》いする前に、われわれは〔役人に〕数枚の金貨を手渡そうとした。すると彼はほほえみを浮かべ、ひとつの労働のために二度の支払いを受けるわけにはいかないと返答した。要するに、国家から支払われる俸給だけで自分にはじゅうぶんだと言いたいのだろう。後になって知ったことだが、自身の給与のほかにも謝礼を受けとる人間は、ここでは「二重取りの輩《やから》」と呼ばれるらしい。

7章　ジム・ホーキンズ――財宝を探す探検家、それとも古銭研究者?

想像上の島々は、富と不正を軽蔑する社会のモデルとなってきただけではない。西洋文学史上もっとも有名な冒険小説のひとつ『宝島』を著したロバート・ルイス・スティーヴンソンは、海賊、殺人、途方もない幸運にいろどられた物語が繰り広げられる神話的な場所として、架空の島を設定している。『宝島』のストーリーは、ヒスパニオーラ号の苦難に満ちた旅を軸にして展開してゆく。主人公一行の目的は、カリブ海のどこかの環礁《かんしょう》に海賊フリントが隠したという、おとぎ話めいた財宝を見つけることだ。

それを集めるためにどれほどの命が奪われ、どれほどの血と悲しみが必要とされ、どれほどの立派な船が沈められ、どれほどの勇敢な男たちが目隠しをされて板子《いたご》を歩かされ、どれほどの大砲が撃たれ、どれほどの非道と偽りと蛮行が行われたのか、それは生きている人間には誰にもわからないだろう。

土地の名士であるトリローニは、リヴジー医師との熱のこもった会話のなかで、フリント船長への賛嘆の念をあらわにしている（「スペイン人があんまりフリントを恐れるんで、わたしははっきり言って、きみ、あの男がイギリス人だということを、ときどき誇らしく思ったもんだ」）。宝の地図の存在を知ったトリローニはただちに船を準備させ、海賊が不法にかき集めた莫大な金銀財宝を手に入れるための旅に出る。経済学者のジェミネッロ・アルヴィが言うように、この企《たくら》みは「ふたりの紳士（トリローニとリヴジー）の二面性（二枚舌）」と、「海賊産業と資本主義の結びつき」を同時に明らかにしている。伝説の海賊フリントのお宝をちょうだいすべく、新たな征服者《コンキスタドーレス》はまたとない好機をとらえようとする。

「金《かね》！［海賊フリントが］金をもっていたかだと！」とトリローニは声をあげた。「きみは噂《うわさ》を聞いたことがあるのか？　あの悪党どもが金以外のなにを求める？　金以外のなにを気にかける？　金以外のなんのために、卑《いや》しい命を危険にさらす？」

小説の主人公であるホーキンズ青年もまた、仲間とともに船に乗りこむ。数々の試練を乗り越え、何度も命を危険にさらしたすえに、ついに青年は財宝が眠っている洞穴にたどりつく。だが、ここで読者は、予想外の場面に出くわすこととなる。海賊たちが良心の呵《か》責《しゃく》もなしに積みあげた財宝を発見したあと、ホーキンズ青年は金貨を船に運ぶために袋詰めの作業を始める。ところが、金貨がもつ物質的な価値に、青年はまったく無関心なようなのだ。

それはビリー・ボーンズのたくわえと同じく、さまざまな珍しい硬貨のごたまぜだったが、ボーンズのものよりはるかに大量ではるかに多様だったので、それを選《え》り分けるのはたいへん楽しい作業だった。イギリス、フランス、スペイン、ポルトガルの金貨、ジョージ金貨にルイ金貨、ダブロン金貨に二ギニー金貨、モイドール金貨にツエッキーノ金貨。この百年間のヨーロッパのあらゆる王の顔があり、糸の束か蜘蛛《くも》の巣のような刻印を押された珍しい東洋の金貨があり、まるいもの、四角いもの、首にでもかけるのか中央に穴のあいたものなど、世界中のほぼありとあらゆる種類の硬貨が、そこに交じっていたのではないかと思う。しかもその数ときたら、まさに秋の木の葉のようで、かがみこんでそれらを選り分けていると背中と指先が痛くなるほどだった。

苦難の多い旅路を通じて、とりわけ人間に備わる「悪」の側面を目の当たりにしてきたホーキンズは、旅の終わりに金や銀の硬貨と対面すると、その金銭的な価値にはまったく興味を示すことなく、駆け出しの古銭研究者のような眼差しを財宝に注ぐ。欲深いほかの乗組員とは違って、ホーキンズはただ硬貨を選り分けることを楽しみ、そこに彫られた君主の顔や、見たこともないような意匠《いしょう》の数々に魅了される。その態度はまるで、硬貨の値打ちは歴史的、芸術的な要因にのみもとづいて決まるのであって、金銭的な価値は無関係だとでも言うかのようである。多くの危険を切り抜け、冒険の目的をなしとげたホーキンズは、ダブロン金貨やツェッキーノ金貨ではなく、それらの硬貨が表現している文化こそがほんとうの宝であることを発見した。スティーヴンソンは『宝島』とは別の文章のなかで、「どう在るか」は「なにをもつか」よりも大切だという考えを表明している。この信念と共鳴するようにして、ホーキンズはカリブ海の謎めいた環礁で、役立たずの「好奇心」に導かれつつ、硬貨に彫られた図案の方がその金銭的な価値よりも大切であることを理解する。なぜなら、硬貨の模様はさまざまな美の表現について教えているだけでなく、世界各地の民衆や王国がたどってきた、記憶すべき歴史についても伝えているから。黄金への熱狂から自由になったホーキンズは、物語の末尾にて、島に銀の延《の》べ棒を残してきたことにいっさいの悔いはないと打ち明けている。

　銀の延べ棒と武器は、わたしの知るかぎり、まだフリントが埋めたところに眠っている。わたしとしてはそのまま眠っていてほしい。牛と綱で引っぱられようとも、二度とあの呪われた島に行くつもりはない。

8章　ヴェニスの商人——一ポンドの肉、ベルモント、シレノスの解釈学

シェイクスピアも、利潤への熱狂とは無縁の場所を描いている。『ヴェニスの商人』の舞台となるふたつの土地のうちのひとつ、架空の都市「ベルモント」は、ヴェネツィア（ヴェニス）の後背地に位置している。美しく賢明なポーシャに求婚する男たちは「箱選び」に挑戦するが、箱のなかに収められた詩文からも、ベルモントでは金銀が軽蔑の対象であることが推測される。モロッコ大公は、「わたしを選ぶ者は、多くの人びとが欲するものを得る」という銘《めい》の刻まれた、金の箱を選択する。だが、大公がそのなかに見つけたのは、美しきポーシャの肖像ではなく、どくろの「うつろな目」に挿《さ》しこまれた羊皮紙だった。そこには、金の箱を選んだ者を虚仮《こけ》にする言葉が並んでいる。

輝くものが、すべて金であるとはかぎらない、
お前はそれを何度も耳にして、よく知っていたはず。

わたしの外面しか目に入らなかったがために
命を売り払った者が何人もいる。
金色に輝く墓のなかには蛆虫《うじむし》がいる。
お前が賢明であり、かつ勇敢であるならば、
若き体と、老人の分別を併《あわ》せもっているならば、
誰もこのような返事は記さなかったものを。「さらば」。
お前の望みは、はかなく消えた。

アラゴン大公も、同じく手ひどい仕打ちを受けた。大公が選んだ銀の箱には、次のような銘が刻まれていた。「わたしを選ぶ者は、その身にふさわしいものを得る」。そして、ポーシャの肖像のかわりに、厳しい叱責《しっせき》の言葉を目にすることになる。

火は七度もこれを鍛《きた》えた。
分別も、七度鍛えられてはじめて

間違いのない選択をする。
みずからの影にのみ口づけする者は
影の喜びしか得られない。
この世には、銀をまとう愚者が
あふれていることを、思い知るがいい。
お前がどんな妻をめとろうとも
わたしはお前の頭でありつづける。
さあ、行ってしまえ。お前の望みはもう絶たれた。

求婚者のなかでは「人文主義者」のバサーニオだけが正しい選択をする。彼が選ぶ鉛の箱には、「わたしを選ぶ者は、もてるすべてを手放して危険にさらさなければならない」と刻まれているのだが、バサーニオが前もって語る言葉は、箱のなかの詩文を予告しているようでもある。

そうだ、見かけの美しさは中味とは別ものかもしれない。
世の人びとはいつも虚飾にあざむかれる――
裁判もそうだ、どれほど汚れて腐った訴訟でも
巧みな弁舌で味つけをすれば、うわべは隠され
悪も悪とは見えなくなる。宗教もそうだ、
どんな異端邪説も神妙な顔つきで
祝福し、聖書を引きあいに出してこれが真実だと言えば、
その忌《い》まわしさもきれいな飾りで隠しおおせる。
むきだしの悪徳などひとつもない、その上《うわ》っ面《つら》に必ず
美徳のしるしを帯びているものだ。
どれほど多くの臆病者が、砂の階段のように頼りない
心をもちながら、あごにはヘラクレスや
いかめしい顔つきの軍神マルスのひげをつけていることか。
その腹を探ってみれば、牛乳のように白い肝臓しかないくせに。

こうした手合いは、勇者のしるしとばかりに、こけおどしのひげを生やしているだけ［……］

バサーニオは金銭をためこむことには興味がなく、財産にも執着していない（「今さら言うまでもないが、アントーニオ、僕は自分の財産をすっかりすり減らしてしまった、乏しい財力では長続きするはずのない、派手な生活を送ってきたせいだ」）。はじめのうちは、ポーシャとの結婚は借金を返すための策に過ぎなかった（バサーニオはアントーニオにこうも語っている。「アントーニオ、きみにはいちばん恩がある、金のことだけじゃない、友情でもだ。その友情ってお墨付きがあれば、僕の目論見《もくろみ》と目的をすっかりぶちまけても大丈夫だよな、いま抱えてる借金をどう清算するかってことなんだけど」）。だが、架空の土地ベルモントにあるポーシャの邸宅で三つの箱と対峙《たいじ》した彼は、「現実」と「外見」の関係について考えをめぐらせる。この若きヴェネツィア人にとって、目に映る外見とは、わたしたちをあざむくものにほかならない。虚飾によって真実が偽装され、金銀の輝きによって無数の罠《わな》が隠されていることを理解するには、表面のその先を見つめるように努めなければならない。

このように虚飾というものは、危険な海へ人を誘《いざな》う
油断のならない浜辺にすぎない。色黒のインド美人の顔を覆《おお》う
美しいヴェール、ひとことで言えば
見せかけだけの真実、ずる賢い世間が
賢者すら陥れようとする罠なのだ。だからきらびやかな金よ、
ミダス王〔ギリシア神話中の、小アジアのフリギアの王。触れるものすべてを黄金に変える力を得たが、食べ物まで黄金となってしまい、後悔して力を手放す〕の固い食物だったお前に用はない。
それにお前、なま白い顔をして人と人のあいだで
使い走りをする銀にも用はない。だが、みすぼらしい鉛よ、
お前はむしろ脅《おど》し文句を並べ、なんの約束もしていない、
しかしその青ざめた顔は、はなやかな雄弁よりも俺の心を打つ。
よし、これを選ぼう――喜びが待っていますように！

いちばん貧相な鉛の箱のなかに、バサーニオはポーシャの肖像を見つける。そこに収められた詩句が彼の英知を讃《たた》えるのは、物語の展開からして、ごく自然な成り行きといえるだろう（「見かけで選ばなかったお前に、幸運が訪れますように。これからも正しい選択を心がけること」）。花嫁を得たバサーニオは、ルネサンス期を代表する多くの作家（たとえばピコ・デラ・ミランドラ、エラスムス、ラブレー、ロンサール、トルクァート・タッソー、ジョルダーノ・ブルーノ）が関心を寄せてきた、「ソクラテス－シレノス〔ギリシア神話に登場する山野の精。陽気で好色だが深い英知の持ち主でもある〕」の教訓に従ったのだという見方もできる。プラトン『饗宴』のなかでアルキビアデスが語った「ソクラテス－シレノス」の「トポス〔「場所」を意味するギリシア語。転じて、さまざまな文脈のなかで繰り返し参照される文学上のテーマを指す〕」は、文学と現実の世界の関係について理解するための、ひとつのわかりやすい解釈を示している。つまり、事物のほんとうの姿を捉えるには、外見の向こう側、うわべの姿に隠されたものを見なければいけないというわけだ。大切なのは贈り物の中身であって、包み紙ではない。これは言葉だけでなく、物事や人間を判断するうえでも役に立つ教えである。

ところがヴェネツィアでは、ベルモントで支持されているのとは正反対の価値観が幅を利かせている。ここでは、社会的、宗教的な対立を背景として、「高利貸し」と「商業」のテーマが物語の舞台を支配し、ついには人間が商品や金銭と同一視されるまでになる。アントーニオはバサーニオを救うために、ユダヤ人のシャイロックから三千ドゥカートを借り受ける。ヴェネツィアの商人であるアントーニオには、それがどれほど危険なことかよくわかっている（ここでは金貸しは、「ソクラテス－シレノス」が反転した存在として描かれている。「悪魔も自分の都合次第で聖書を引用する。邪悪な者が神聖な言葉を証拠として引き合いに出すのは、悪党が口もとにほほえみを浮かべるようなもの。見かけはきれいでも、芯《しん》は腐ったリンゴだ。ああ、まがい物にかぎって外面はきれいなものだ！」）。期日までに返済できなかったときのペナルティは金銭ではなく、債権者みずからが債務者の体から切り取ってくる、一ポンドの肉に設定される（「違約金がわりに、あんたのその真っ白な体からきっかり一ポンド、わたしの好きな部分を切り取ると明記していただきたい」）。自身の所有する商船が予定どおり到着せず、契約を守れなかったアントーニオは、裕福な高利貸しの手で法廷へ連れて行かれる。シャイロックの望みはただひとつ、事前の取り決めが守られることだ（「違約してみろ、やつの心臓をちょうだいしてやる」）。

法廷の場面ではシャイロックの残虐性にたいしてたびたび非難の言葉が向けられるが、それはひとつ前の場面で、シャイロックがキリスト教徒に向けて放った言葉と対《つい》になっている。

ユダヤ人には目がないか？　ユダヤ人には手がないか、五臓六腑、四肢五体、感覚、感情、喜怒哀楽がないのか？　キリスト教徒と同じものを食い、同じ武器で傷を受け、同じ病気にかかり、同じ治療で治り、同じ冬の寒さ、夏の暑さを感じないというのか？　針で刺されても血は出ない？　くすぐられても笑わない？　毒を盛られても死なないのか？　そして、あんたらにひどい目にあわされても復讐しちゃならんのか？

争いを解決へ導くのは、「法学博士」のバルサザーに変装したポーシャの役目である。契約は、文字どおり遵守《じゅんしゅ》されなければならない。ユダヤ人は、みずからの権利を正確に行使すること。すなわち、ほんのわずかに多いわけでも少ないわけでもない、一ポンドきっかりの肉を、一滴の血も流さずに切り取らなければならない。肉の重さは秤《はかり》で計測され、少しでも秤が傾けば、シャイロックは命と財産を失うことになる（「さあ、肉を切り取る用意をしろ——血を流してはならない、また、切り取る肉は正確に一ポンド、それ以上でも以下でもならない。仮に、一ポンド以上、または以下の肉を切り取れば、たとえその重さ軽さの差が一ポンドの千分の一、さらにその二十分の一であっても、いや、それどころか秤が髪の毛ひとすじ分の傾きでも示せば、その身は死刑、全財産は没収だ」）。当然ながら、ヴェネツィア市民の血がむだに流されることはあってはならない。同時に、余計に切り取ったり、切り取った分量が足りなかったりした場合、債権者は契約の履行《りこう》を断念するしかなくなるだろう。

ポーシャはここで、金銭と金貸しの法則には人間を商品に変える力はないということを、シャイロックとアントーニオに思い起こさせている。契約の当事者がユダヤ人であれキリスト教徒であれ——ポーシャが扮《ふん》する法学博士には、両者の見分けはついていない（「どちらがその商人ですか？　ユダヤ人は？」）——いかなる契約であろうとも、「商品」と「人間の肉」を同列に扱うことはできない。シャイロックの信条（「生きる手立てを取るのは、命を取るってことだ」）とは裏腹に、生と金銭はイコールではない。このことは、自身の働きにたいしてはどのような対価も必要ないと言明するポーシャの言葉からもうかがい知れる（「じゅうぶん満足を得た者はじゅうぶん報われているのです。あなたをお救いできてわたしは満足、それだけでじゅうぶん報われたと思っています――それ以上の報酬を求めたことは一度もありません」）。

高利貸しと金銭のテーマが『ヴェニスの商人』の中心に位置していることは、カール・マルクスも指摘している。マルクスは複数の著作のなかで、シャイロックについて論じている。一部の研究者から疑義を呈されている、「ユダヤ人問題」をめぐるマルクスの解釈はわきに置いておくとして、彼は『ヴェニスの商人』の主人公（もちろんシャイロックのことである）を、「高利貸しから近代的な債権者への」移行を告げる、資本主義の化身《けしん》と見なしていた。こうして、シャイロックの亡霊――ここでは、債権者がユダヤ人であるかどうかはまったく問題ではない――は、高利貸しについて書かれたマルクスの文章のなかで、資本の象徴、金銭と商品に落ちぶれた人間のメタファーとなるのである。マルクスとシャイロックにかんする論文のなかで、イタリアの哲学者ルチアーノ・パリネットはこう書いている。

ユダヤ人のように、シャイロックのように、資本の「国民性《ナショナリティ》」はキマイラ的（異質なものの合成）な性格を有している。なぜなら、資本はいかなる国家にも配慮せず、いかなる国境ももたないから。資本という国家はその内外で、一ポンドの肉を断固として要求する。戯曲に登場するユダヤ人は、その定義からして国籍をもたず、だからこそ、資本の象徴にして典型と見なすことができる。すでに一八四三年に、マルクスが書いていたとおりである。「ユダヤ人のキマイラ的な国民性は、商人、ビジネスマンの国民性にほかならない」

シェイクスピアはこの謎めいた複雑な喜劇のなかに、相反する概念（美と醜、喜びと悲しみ、外面と内面など）を駆使した「両義性の遊戯」を仕掛けている。現実と外観、真実と虚構の転倒を読み解くうえでは、シレノスの解釈の伝統が役に立つだろう。英文学者のフランコ・マレンコが指摘したように、それは言葉の本質をも巻きこんだ遊戯である。シエイクスピアの戯曲において、言葉は「字義どおりの意味」と「比喩《ひゆ》的な意味」のあいだで揺れ動いている。高利貸し、商業、債権と債務、浪費と蓄財、寛容、異性愛と同性愛、憂鬱と歓喜、ユダヤ人とキリスト教徒の対立、穏健派と急進派の信仰をめぐる緊張、抑圧する者とされる者のあいまいな関係といった数々のテーマは、戯曲のあらゆる面を支配している、「もの《レース》」と「言葉《ウェルバ》」（「内《イントゥス》」と「外《エクストラ》」）が織りなす対立と矛盾の関係から読み解くことができる。

同じ場面を見ていても、観客によって別の意味を受けとることがある。すべては、演じる者の身ぶりや言葉を、どのような視点から解釈するかに左右される。ユダヤ人のシャイロックは、彼と対峙するキリスト教徒と同じく、犠牲者であると同時に迫害者でもある。同じ状況を前にして、ある者は笑い、ある者は涙を流す（第一幕第一場でポーシャが言う「泣き虫哲学者」とは明らかに、「泣くヘラクレイトス」と「笑うデモクリトス」のトポスを参照した表現である）。ひとつの空間に、喜劇と悲劇が同居している。（舞台の上にいる）登場人物であれ、（「世界という劇場」にいる）観客であれ、同じ場面から喜びを感じる者もいれば、悲しみを感じる者もいる。シェイクスピアの翻訳を数多く手がけたアゴスティーノ・

ロンバルドが強調しているように、「不確かさ」や「相対性」が、戯曲全体を特徴づけている。

議論すべきテーマは、ほかにもまだまだあるだろう。だが、この短い考察を締めくくるにあたっては、ヴェネツィアと架空の土地ベルモントを比較するにとどめておきたい。ベルモントでは金銀よりも、鳥の歌声や自然の美しさの方がはるかに価値があると見なされている。ポーシャのいくつかの台詞《せりふ》が暗示していたのと同じことを、バサーニオの友人であるロレンゾーも語っている。彼によれば、音楽を解さない人間は、陰謀や略奪など、利得のための暴力に簡単に手を染めてしまう。

心に音楽をもたない人間、
美しい調べにも心を動かされない人間は
謀反《むほん》、陰謀、略奪にしか向いていない。
そういう人間の心の動きは闇夜のように鈍く、
感情はこの世と地獄の境のように暗い。

そういう人間を信用してはいけない。お聴き、あの音楽。

シェイクスピアが創作したこの「ユートピア」では、鉛の箱が思い起こさせてくれたとおり、「もつこと」より「与えること」に価値がある。「無償であること」、「役に立たないこと」は、金銭という神がふるう破壊的な力からの避難所となるだろう。それはまた、利潤の奴隷となること、ありふれた商品に姿を変えることを人間に強制する非人間的な実利主義からわが身を守るための、ほとんど唯一の防波堤でもある。

9章　アリストテレス――「知ること」に実用的な目的はない

文化もまた、金銭や利得による侵食から守られるべき対象である。アリストテレスは『形而上学《けいじじょうがく》』の重要なページのなかで、「知ること」がもつ価値について書いている。もっとも水準の高い知識は「生産的な学」ではないと、アリストテレスは言い切っている。この哲学者によれば、わたしたち人間は、「今日でもそうであるが、あの最初の場合にあっても、驚嘆することによって知恵を愛し、［哲学という営みを］始めたのである」。「ごく身近な範囲で起きる、理解のおよばない事柄」にたいする驚きが、哲学を始めるきっかけとなる。したがって、「ただその無知から脱するために知恵を求めたのだから、人がこうした知識を追求したのは、明らかに、ただひたすら知るためであって、そのほかの効用のためではなかった」

他人のためでなくみずからのために生きている人を、わたしたちは自由な人と呼んでいる。同じように、わたしたちは明らかに、なんらかの効用のためではなく、この知恵がみずからのためにだけ存在しているからという理由で、これ［哲学］をただひとつの自由な学と見なすのである。

「役に立つこと」に囚《とら》われない哲学の「自由さ」こそ、人間が「神」に近づくための足場となる（「だから、知恵を獲得して自分の所有にすることは、人間にできることではないと言われたりするのも、当然である」）。

10章　純粋な理論家か、哲人王か——プラトンの矛盾

アリストテレスは、プラトンの著作に見られるある種の緊張関係を、きっぱりと断ち切ったのだという言い方もできる。それは、純粋に理論的な問題にのみ関心を注ぐ哲学者と、政治とかかわりをもとうとする哲学者のあいだの緊張である。プラトン後期の著作『テアイテトス』においてソクラテスは、裁判所に通う習慣がある人間と哲学にのみ関心を向ける人間の関係を、「奴隷」と「自由民」の関係になぞらえている。

若いときから法廷やらなんやら、そういう種類のところを徘徊《はいかい》している者と、知恵

の探求やらなんやらといったもので暇をつぶすよう育てられてきた者を比較するなら、前者は奴隷、後者は自由民のようなものではないかということです。

「自由民」は時間を気にする必要がなく、誰にたいしても説明の義務を負っていない。たいする「奴隷」は「水時計」に縛られており、その境遇はつねに「主人」の判断に左右される。

いま述べた知恵の探求者たちには、つねにあなたの言われたもの――すなわち時間の余裕ですね――が備わっていて、その言論も平和のうちに、ゆったりと行われるわけです。［……］つまり彼らは、ただ本質をつかめば満足なので、その話が長くなるか、それとも短くて済むかなんてことは気にかけない。ところが、もう一方の人たちはというと、［時間に制限があって］水時計の水にせきたてられるものだから、いつでもせわしない言論をすることになります。そのうえ彼らには、どんなことでも望みどおりに議論する自由は与えられていないので、むしろそんなことをしないように、反対側の者が強制力をもって監視しているのです。強制のための手段とは、実際の弁論と比較対照することができるようにと読みあげられる弁論要領書のことで［……］そこに書いてあること以外にかんする弁論は禁じられています。そしてその内容はといえば、いつも決まって、なんらかの訴訟事件を抱えて裁判官席に坐っている主人に向けられた、同じ奴隷仲間にかんするものなのです。

後者（奴隷）は目的を遂げようと躍起になり、「主人をおだてるにはどのような言葉を用いるべきか、主人に取り入るにはどのように振る舞うべきかという知識」を獲得する。こうして、「魂がさもしくなり」、誠実さをすっかり手放すことになる。

言うまでもなく、若いころからの奴隷の境遇というものは、成長して大成することを不可能にするもので、正直なところも自由闊達《かったつ》なところも取り去ってしまいます。言ってみれば、むりやり曲がったことをさせられるわけです。まだ若くてやわらかい彼らの精神が大きな危険にさらされて、たいへんな恐怖に見舞われます。それは若者にとっては、正しさや真実を失うことなしにはもちこたえることができないものなのです。そのせいで彼らは、ただひたすら虚偽にすがり、おたがいに不正の応酬をすることとなって、何度も繰り返しねじ曲げられたりへし折られたりして、ついには健《すこ》やかな知性をまったくもたずに子どもから大人となってしまいます。そのことを自分たちでは、知恵者になったとか、人から一目おかれる人物になったとか思っているわけなのです。

反対に、「ほんとうの哲学者」というものは、「広場《アゴラ》へ行くにはどの道を行くかということを知らず、また裁判所だとか議会だとか、ほかにも国家公共の会議所となっている施設の場所さえ知らずにいるようなありさま」である。さらに、「権勢を得ようと徒党を組んで必死に運動するとか、集会や宴会を催すとか」いったことは夢にも考えない。なぜならこの人たちは、「これらすべてを価値に乏しいもの、いやむしろ、まるで価値がないものと見なして」いるからである。知恵を求める人びとは、空を見上げながら「天体の運行について考え、自然界に存在するありとあらゆるものにかんして、あらゆる角度から探求」

しようとする。この種の人びとが、「公私のいずれの場面においても、誰かと掛かり合いになった」ときには、「トラキアの女奴隷だけでなく、そのほかの人たちからも失笑を買うのがおち」である。こうして、哲学に従事する人びとは、その「みっともなさ」のために、「愚か者という世評」を招くことになる。哲学者のポール・リクールが主張するように、哲学の道を歩むというのはある意味で、現実の人生での成功を諦《あきら》めることでもある。それでも、自由をわがものとするために、ほんとうの哲学者は眼差しを空に向ける。上を向いたまま歩きつづければ、タレス〔ギリシア最古の哲学者〕のように穴に落ちるかもしれないが、知を求める者はそんなことは気にかけない。

　さて、テオドロスよ、以上でもってわたしは、これら二種類の人間の流儀をお話ししたことになります。ひとつは、真の意味の自由と時間の余裕とをもって、そのなかに育てられた人の流儀であって、こういう人こそあなたは哲学者と呼ぶことでしょう。こうした人は、たとえば寝具一式の荷造りができなかったり、料理の味つけの仕方を知らなかったり、うまいお世辞が言えなかったりするせいで、奴隷奉公をするにはのろまだとか無能だとか言われるかもしれませんが、それはこの人たちにとっては落度ではないのです。これに反して、もうひとつの流儀となると、これはいま言ったようなことは抜かりなくきちんとやるけれども、自由民らしく衣服をまとうことはできないという者の流儀であって、こういう種類の人間には、神々や幸福な人間が送る真の生を、しかるべき賛歌でもって謳《うた》いあげることはできません。

プラトンは『国家』のなかでも、こうしたふたつの振る舞いについて論じている。ところが、『テアイテトス』と違って『国家』の議論は、哲学者が公的な生に従事する可能性もあると言っているように読める。ソクラテスはまず、純粋な探求（探求すること自体が目的であるような探求）の大切さを対話相手に説いて聞かせる。「かといって、［大多数の人たちは］高尚で自由な討論、知ることを目指し、あらゆる努力をつくしてひたすら真実だけを追求するような討論は、じゅうぶんに聞いたことがない」。その先、若者の教育というテーマについて論じられている箇所では、「学習を強制するような」教育はいけないという主張が繰り広げられる。なぜなら、「自由な人間は、およそいかなる学科を学ぶにあたっても、奴隷状態において学ぶということはあってはならない」からである。

だが、『国家』のイタリア語訳者であるマリオ・ヴェジェッティが言うように、同書のなかでは「統治者‐哲学者」としてさまざまな人物像が提示されている。そして、孤独に身を置いて学びに励む者、知りたいという欲求にのみ突き動かされる者――『テアイテトス』には、ヘシオドス『神統記』のなかの、イリス〔虹＝哲学〕はタウマス〔驚異〕の娘だとする説への言及がある――にこそ、プラトンは統治を託したいと望んでいる。未来の都市を指揮する執政官《アルコン》や弁論家を組織するのは、知を愛する人びと〔哲学者〕の役目である。

11章　カント――美の判断は関心をともなわない

カントにおいては、無関心〔無私・無欲〕の問題は美の判定というテーマに直接に関係してくる。カントは『判断力批判』の冒頭近くで、わたしたちがある事物の表現を味わっているとき、「たとえわたしが表現されている事物の現実の在りようについて無関心であるとしても」、そこにはやはり「喜び」がともなうはずだと主張している。

ある事物を美しいと言い、自分に〔美しいものを味わう〕趣味が備わっていることを示せるかどうかは、現実の事物とわたしの関係ではなく、表現にたいするわたしの評価にもとづいていることは明らかである。〔……〕このたいへん重要な命題を解き明かすには、関心〔利害〕と結びついた喜びを、関心をともなわない趣味判断の純粋な喜びと対置してみるのがいちばんである。

カントにとって、関心〔利害〕は事物がもたらす喜びや、事物の現実の在りようと密接に結びついている。「あらゆる関心は必要を前提としているか、あるいは必要を産みだすものであり、関心は同意の根拠として、対象にかんする判断に自由を与えない」。このような事情から、ただ「美の趣味」だけが、「無関心で自由な喜び」であると言える。なぜなら、「美の趣味において、同意は関心や、感覚や、理性に押しつけられるものではないから」である。関心〔利害〕‐無関心〔無私〕をめぐるこのような議論を経て、カントはあの有名な趣味判断の定義をくだす。

趣味とは、いかなる関心〔利害〕ともかかわりなく、喜びまたは不快を通じて、対象または表現物を判断する能力のことである。こうした喜びをもたらす対象が「美」と呼ばれる。

12章　オウィディウス――役立たずの技芸ほど役に立つものはない

古代の文人のなかではオウィディウスが、「役に立たないことの有用さ」というテーマに正面から向き合っている。『変身物語』では「忌《い》まわしい所有欲」を非難していたこの詩人は、『黒海からの手紙』に収録された友人（マルクス・アウレリウス・コッタ・マクシムス・メッサリヌス）宛ての書簡のなかで、近ごろは「役に立たないこと」に取り組んでいることを告白している（「あなたの質問への答えはこうです。なんの役にも立たないこの技芸ほど役に立つものは、ほかにありません」）。

ときには、流刑の悲しみを癒やす効果を詩のなかに見いだしつつも（「おかげでわたしは、自分の不幸を忘れることができるのです」）、詩が具体的な利益をもたらすわけではないことを、オウィディウスはよく承知している（「わたしの作品のひとつとして、わたしの利益にはなりませんでした。それならせめて、わたしを傷つけるような作品がなければよかったのに！」）。むしろ詩は、オウィディウスが見舞われた災難の元凶と見られている。

だが、それにもかかわらず、なぜ書くのかという問いかけ（「それならどうして書くのかと、あなたはお尋ねになるでしょうね」）にたいし、詩人はためらうことなく、自分は「役に立たない仕事」に没頭するのだと答えている（「わたしはこうして、役に立たない仕事に休みなく精を出すのです」）。オウィディウスはそんな自分を、古傷を忘れて武器をとる剣闘士や、遭難を経験したのにまた海へ漕《こ》ぎだしていく船乗りになぞらえている。

13章　モンテーニュ――役に立たないものさえ、役立たずではない

モンテーニュの『エセー』ほど、自分の内面を見つめるようわたしたちに促してくる本はほかにない。フランスのルネサンス期を代表する思想家である著者自身は、明確な目的をもって執筆を始めたわけではないと言っている（「この本では、内輪の、私的な事柄のほか、なんの目的も定めていない」）。だが、『エセー』をイタリア語に翻訳した作家のファウスタ・ガラヴィーニが鋭く指摘しているように、そこにはたしかに、「断片的かつ多面的である存在」が抱える恐れの感情や、そうした存在を擁護しようとする姿勢が認められる。「つまり、読者よ、わたし自身が、わたしの本の題材なのだ。だから、こんな他愛のない、むなしい主題のために、きみの時間を使うなんて、理屈にあわないではないか。では、さらば」。要するに、これは役に立たない本である。著者は自宅の図書室でこの本の着想を

得たというが、そこはかつて「屋敷のなかでいちばん役に立たない」衣装部屋だった。モンテーニュはそこで、利潤を得るためではなく、ただ楽しむために、孤独に研究に没頭する（「いまは、楽しみのために学んでいるのであって、けっしてなにかを得ようとするためではない」）。哲学とは「役立たずの、無価値なもの」であるとわかっていながら、モンテーニュは学びつづける。

それにしても、われわれの時代には、知性のある人びとのあいだでも、いつのまにか哲学が、むなしくて、空想的なものの代名詞のようになってしまい、社会的評価においても、実際においても、役立たずの、無価値なものにまでなってしまったことは、まったくもって驚くべきことというしかありません。

こうした現実を前にしても、モンテーニュは白旗をあげるわけではない。むしろ、一般には「役に立つ」と見なされているさまざまな財産が、じつのところ「役立たず」であることを、哲学はことあるごとに教えてくれる（「「むなしく金を費やすことを規制するための」

真の方法とは、黄金や絹などはむなしく、無益なものだとして、人びとにそれらを軽蔑する気持ちを起こさせることであろう。なのにわれわれは、それらの栄光や価値を高めているのであって、これは、人びとに嫌わせる手段としては、じつに愚かというしかない」)。『エセー』の著者は、自分のなかの「非難されるいわれのない性質」も、この時世ではまったくの役立たずであることを自覚している。

自分のなかにあって、非難されるいわれのない性質についても、わたしは、このご時世では役立たずだと感じていた。わたしの人の良さや態度は、ひょっとすると、卑《ひ》怯《きょう》だとか、軟弱だとか呼ばれたかもしれないし、わたしの信念や良心だって、几帳面で、臆病ではないかと受けとられたのかもしれない。そして、率直さと自由闊達《かったつ》さにしても、うるさくて、浅はかで、向こう見ずだと解釈されたのかもしれない。

『エセー』の言葉は、気取りやてらいとは無縁である。モンテーニュが若かりしころ、彼の父親は、息子が将来「役立たず」になることを心配していた(「わたしが悪人になると予想する人間などおらず、むしろ、役立たずになるのではと思われていました」)。こうした不安は、なにも根拠のないものではない。というのも、彼はごく早いうちから、文章を書くことに強い関心を示していたからである。

放浪者や怠け者を抑止する法律があるならば、力不足で、役立たずの物書きにたいしても、そのような法律があってもおかしくない。そうなると、このわたしをはじめとして、多くの書き手が、わが国民の手で追放されるのではないだろうか。いや、これは別に冗談で言っているのではない。

もちろん、モンテーニュの書いていることを、つねに真《ま》に受ける必要はない(まさしく、ここに引用した箇所について、モンテーニュの研究者であるアンドレ・トゥルノンはそのようにコメントしている)。だが、自分が「役立たず」であることの自覚(「自分が現代には無用な存在だと悟ると、わたしはローマ時代に退《しりぞ》いていく」)はモンテーニュのなかで、「自然のなかには役に立たないものなどなにもない」、「役に立たないものさえ、役立たずではない」

という確信と、矛盾をきたすことなく同居している。

14章 「遊民《フラヌール》」のレオパルディ——「傲慢《ごうまん》で愚かな時代」の実利主義に抵抗する

一八三一年から三二年にかけて、イタリアの詩人レオパルディは友人のアントニオ・ラニエーリと協力して、週刊新聞「ロ・スペッタトーレ・フィオレンティーノ」の発刊を計画する。それは、「役に立たないこと」を志向する新聞だった。事実、詩人は「創刊の辞」のなかで次のように述べている。「われわれの新聞はなんの役にも立たないことを、ここで率直に申しあげる」。誰もが「役に立つこと」に関心を寄せる時代にあっては、「役に立たないこと」に注意を向けるよう呼びかけることがきわめて重要な意味をもつ。

あらゆる書物、あらゆる印刷物、あらゆる名刺が「役に立つ」時代において、「役に立たないこと」をモットーに掲げる新聞が発刊されるのは、理《り》の当然であるとわれわれは考えている。というのも、人は得てして、他人から区別されたいと願うものであり、すべてが役に立つ世の中であるならば、役に立たないことを約束して思索を促すほかないからである。

「楽しいことは、役に立つこと以上に役に立つ」という信念のもと、レオパルディは、どのような生産のロジックにも無関心な女性たちを、自身が発刊する新聞の理想的な読者と見なしていた。彼がそのように書くのは、なにも「女性に取り入る」ためではなく、「女性は男性ほど厳しくはなく、役に立たないわれわれの新聞にたいしても、丁重な態度で接してくれる」と考えていたからである。残念ながらこの新聞は、フィレンツェ当局から発刊の認可を受けていなかったために、創刊号が出るよりも前に廃刊となった。

その数年前、一八二七年には、レオパルディは「役に立たない知識の百科事典」を刊行する計画を立てていた。あいにくこの計画も実現しなかったが、刊行にかける詩人の思いは、一八二七年七月十三日付の、出版社ステッラに宛てた書簡のなかに記されている。

「役に立たないこと」にたいするレオパルディの強い関心は、「商売人や、金《かね》を稼ぐことしか頭にない人間」に支配された社会での生活を、文人がどれほど居心地悪く感じていたかを伝えている。それは、人間が金銭と同一視される社会である。『断想集』のなかで、詩人は次のように嘆いている。

人間は、あらゆる点についてばらばらな意見をもつが、金《かね》を賛美することについてだけは、意見が合致しているようである。あるいは、あたかも人間の本質は金であり、金以外のなにものでもないのではないかとさえ思えてくる。このことは、無数の証拠から人類の恒常的な公理と見なされるべき事実であり、とりわけわれわれの時代にはそうなのである。［……］そのあいだ、産業と足並みをそろえて、ほかのなににも増して人を堕落させるような、文明人にもっともふさわしくない性質と情熱がはびこっている。すなわち、魂の貧困、冷徹、利己主義、吝嗇《りんしょく》、そして商売人に特有の欺瞞《ぎまん》と悪意である。これらは際限なく増殖している。ところが、美徳はいまだにやってこない。

レオパルディはたんに、その「役立たずの哲学」を通じて、社会における思索の延命――「役に立たないことを約束して思索を促す」ことが必要だと彼は書いていた――を図ろうとしただけではない。加えて彼は、生の、文学の、愛の、詩の幻想の、そして、「余計」と見なされるあらゆるものの大切さを取り戻そうとしていたのである。一八四八年七月二十四日、レオパルディは文人のピエトロ・ジョルダーニに宛てて、フィレンツェから書簡を送っている。

すべての美、すべての文学にたいして表明される傲慢《ごうまん》な軽蔑に、わたしはとうとう吐き気を覚えはじめています。なかでも納得できないのは、人間の知の極地は、政治や統計について知ることにあるとする意見です。むしろ、ソロン〔古代ギリシアの政治家〕の時代からこの方、戸籍の制度をより完全な形に近づけたり、民衆に幸福をもたらしたりするためになされてきた研究の、ほとんど完璧なまでの「無益さ」を哲学的に考慮するなら、政治や法律の分野における計算だのややこしい議論だのがこんなにもありがたがられている現状に、わたしは失笑を禁じえません。〔……〕愉快なことは、あらゆる有益なものにも増して役に立ちます。そして文学は、これら干からびた学問〔政治学や統計学〕のどれと比較しても、間違いなく、ほんとうに役に立つのです。

だが、『カンティ』収録の「心に占める想い」のなかでのちに吐露《とろ》するように、彼が生きている「悪意ある時代」は、生そのものを「役立たず」と見なすまでに、ひたすら役に立つことばかりを追求する（「むなしい望みを糧《かて》として、／愚にもつかないたわごとを好み、／美徳を嫌う、この不遜《ふそん》な時代、／役に立つものばかり求め、／そのせいで人生がいっそう役立たずになることに／気づかない、この愚かな時代よりも、／自分の方が高みにいるとわたしは自負する」）。「ジーノ・カッポーニ侯爵への改詠詩」のなかでレオパルディが指弾しているように、実利主義が間違った進歩の観念と結びつき、ますます新聞の紙面でもてはやされる（「言語や、そして形態も、それぞれ異なるさまざまな／新聞すべてが、あらゆる岸から、こぞって世界に／黄金の世紀を請《う》け合う。／普遍の愛や、鉄道や、多才な交易、／蒸気や、活字や、そしてコレラが／遠く隔たる民や風土をひとつに結ぶ」）。このような理由から、詩人は晩年、「えにしだ」の決然とした詩節のなかで、みずからが生きた時代を「傲慢で愚か」と評している。

15章　テオフィル・ゴーチエ――役に立つものは「便器のように」醜い

「役に立たない新聞」というレオパルディの風変わりな構想から数年後、隣国フランスの作家テオフィル・ゴーチエは、一部の「役に立つ批評家」による厳格な道徳論にたいし、苛烈《かれつ》な論争を仕掛けていた。ゴーチエの言葉を借りるなら、この手の批評家は「正真正銘、文学のサツども」であり、「角頭巾《すみずきん》を斜《はす》にかぶったり、スカートの裾《すそ》を少しばかり大胆にたくしあげて歩いたりする思想を書物に見つけると、美徳の名目を振りかざして摘発し、棒で打ち据える」ことを習慣としている。批評家たちは、イメージカラーが「赤だったり、緑だったり、三色旗の色だったりする」新聞から金をもらい、けしかけられている。

一八三四年、二十三歳のときに、ゴーチエは自著『モーパン嬢』（一八三五年刊行）のために、長い序文を執筆している。それはやがて、いわゆる「芸術のための芸術」のマニフェストとなるのだが、この文章がもつ意義はそれだけにとどまらない。ゴーチエの序文は、「経済学者を自称し、社会を根っこから作り直そうという連中」にたいする、若い世代の力強い反発として読むことができる。

いや、愚か者よ、そうではない。違うのだ。きみたちは阿呆《あほう》か、それとも甲状腺をわずらっているのか? 書物はゼラチン・スープにはならない。小説は縫目《ぬいめ》のないブーツではない。一篇のソネットは連続洗浄機ではない。現代劇は鉄道ではない。これ[書物や小説]は、人類に進歩の道を歩ませる堂々たる文明開化の産物とはまったくの別物なのだ。

下品ではしたない記事を書いたということで「ル・コンスティチューショネル」紙から非難されたゴーチエは、メタファーや暗示が満載の、鋭い皮肉のこもった文章でもって、自身が受けた攻撃をあざやかに切り返している。この生き生きとした序文には、批評家や新聞記者にたいする論争的な意図を超えて、詩人ゴーチエの信念が刻まれている。その根底には、芸術や文学は、道徳や実利主義には縛られないという考えがある。

じっさい、共和派ないしはサン゠シモン派の実利主義者の議論を聞いていると、笑いがとまらなくなる。［……］この世には二種類の「有益性」が存在する。この新語の意味は、あくまで相対的なものにすぎない。ある人に有益なものは、ほかの人には有益でない。あなたは靴直し、わたしは詩人だ。わたしの第一詩句が二行目の詩句と韻を踏むことは、わたしには有益だ。わたしにとって、押韻《おういん》辞典の効用は計り知れない。古い長靴の修繕にそんな辞書はいらない。それに反して、わたしが頌歌《オード》を書くにあたって、靴屋の革切りナイフはろくに役に立たないだろう。こう言うとあなたたちは、詩人よりも靴直しの方がずっと上だ、いないと困るのは靴直しの方だ、と反論なさるかもしれない。わたしとしては、靴直しという高名な職業を貶《おとし》める意図はさらさらなく、この仕事に立憲君主の役職に劣らぬ敬意を払うものだが、恐れ多くも本音を白状するならば、下手に韻をふんだ詩を詠《よ》むくらいなら、破れた靴をはきたいと思う。詩と無縁に生きるよりは、靴なしでやっていきたい。
ゴーチエ――哲学者で批評家のジャン・スタロバンスキーはその詩的な大胆さを、サーカスの曲芸師の身ぶりになぞらえている――は『モーパン嬢』の序文のなかで繰り返し、同時代の新聞を批判している。この時代のメディアは、日々の生活のなかで目にする美しい事物を、かならずしも必要なものとは見なさない。そしてしまいには、チューリップの代わりにキャベツを植えた方が役に立つとまで言い出すのである。

美しいものは、なんであれ、生活に必須というわけではない。仮に花をなきものにしてみよう。物質面では、世界はまったく困らない。だが、花のない世界を望む人がいるだろうか？　わたしだったら、薔薇《ばら》を残してじゃがいもを諦《あきら》める。いくら実利主義者といっても、花壇のチューリップを引き抜いてキャベツを植えるような人間は、世界にひとりしかいないのではなかろうか。

よこしまな実利主義に支配された世の中にあっては、「白からしの発明者」よりもミケランジェロを愛するなどと言い張る人間は、分別を欠く愚か者と見なされかねない（「音楽なんてなんになる？　絵画なんて、なんの役に立つ？　カレル氏〔「ル・ナシオナル」紙の論客〕よりもモーツァルトが好きだとか、白からしの発明者よりもミケランジェロを愛するなんていう愚か者がどこにいる？」）。実利主義者が刊行する「役に立つ」新聞の紙面で、書物が「弾力ベルト、馬毛芯入りカラー、腐敗防止乳首つき哺乳瓶、ルニョーの練り薬、歯痛薬の処方」などと並んで宣伝されていたとしても、驚くにはあたらない。

だがゴーチエは、この広く浸透した俗悪さに対抗するには、やんわりとした反発では意味がないと確信していた。むしろ、反語を用いた文体を最大限活用して、「役に立たないこと」を礼讃《らいさん》するラディカルで挑発的な文章を書くことにより、ゴーチエは実利主義を徹底的に攻撃している。

真に美しいものは、なんの役にも立たないものだけである。役に立つものはすべて醜い。なんらかの欲求の現れだからだ。そして人間の生理的欲求は、貧相かつ脆弱《ぜいじゃく》な本性と同様に、不潔で嫌悪すべきものだ。一軒の家のなかで、なによりも有用な場所は便所である。

これまでほとんどの研究者が見過ごしてきたことだと思うのだが、「役に立たないこと」をめぐるゴーチエの文章をレオパルディの言葉と比較して分析することは、きわめて興味深い作業になるだろう。多くの一致点のなかでもとりわけ注目に値するのが、ヴェズヴィオ火山への言及である〔レオパルディの有名な詩「えにしだ」では、ヴェズヴィオ火山が重要なモチーフとなっている〕。ゴーチエもまた『モーパン嬢』の序文のなかで、現代の「偽りの進歩」を証言するものとして、ヴェズヴィオの噴火によって埋まった古代ローマの都市を引き合いに出している。

そう、みなさんはおっしゃる、われわれは進歩しているとね！　では明日、かつてヴェズヴィオ火山がスタビア、ポンペイ、ヘルクラネウムを埋没させたように、モンマルトルで火山が爆発してパリの町は灰の屍衣《しい》と溶岩の外套《がいとう》で覆《おお》われると仮定しよう。

そして数千年後に、その時代の考古学者が発掘をはじめ、滅亡した都市の亡骸《なきがら》を掘り出すとする。そのとき、地下に埋まった偉大なゴシック様式のノートル＝ダム寺院の壮麗さを立証するのに、いかなる歴史的建造物が破壊されずに残るだろうか？

数千年後の考古学者は発掘現場で、こまごまとした工業製品ばかりを見つけるだろう。わずかな例外を除き、過去の文明の息吹《いぶき》を伝えるものは、優れた芸術作品だけであるに違いない。だからこそゴーチエには、どのような「有益性」ももたない「余計なもの」が——それが「美」の表現であるかぎりにおいて——もっとも興味深く、もっとも好ましく思われるのである。

実利派のみなさんには申し訳ないが、わたしは余計なものを必要とする人間だ。事物や友人に寄せるわたしの愛情の深さは、それらが役に立つ度合いに反比例する。わたしは特定の用向きの壺〔尿瓶《しびん》を指す〕よりも、まったく役に立たない、龍や清《しん》の高官の絵柄をもつシナの壺の方が好きだ［……］。ラファエロの真作を見るためなら［……］、

フランス国民および市民の権利を喜んで放棄しよう。わたしは生来のディレッタント
というわけではないが、大統領閣下の鈴の音よりも、安っぽいヴァイオリンとかタン
バリンの響きを好む。半ズボンを売って指輪を買い、パンを売ってジャムを求めるよ
うな男だ。［……］これでおわかりだろう、功利主義者の原理はわたしの生き方とはぜ
んぜん違うということが。こんなわたしが、有徳な新聞の編集者になれるはずがない
［……］。

すでにその二年前、韻文《いんぶん》物語『アルベルチュス』の序文において、ゴーチエは似たよう
な考えを表明している。韻文（詩）がなんの役に立つのかと問う人にたいし、ゴーチエは
美を「役に立つこと」に対置させて返答している。

これがなんの役に立つのか、ですって？　これは、美しくあるために役立つのです。
それでじゅうぶんではありませんか。花のように、香りのように、鳥のように、人間
が自分の役に立つように気をそらせたり堕落させたりできないすべてのもののように。

これは広く当てはまる話ですが、事物は役に立つようになった途端に、美しさを失うものです。

若きゴーチエはふたつの序文のなかで、たくみに言葉を操りながら、みずからの批判的思考を詩的に表現している。とくに、小説家としてのゴーチエと詩人としてのゴーチエが競作している感のある『モーパン嬢』の序文では、生彩に富んだ動詞や形容詞、メタファーや新語が次々に繰り出され、豊かで創造的な語り口によって芸術について語られている。だが、彼の文章を「美」そのものの礼讃としてのみ読むべきではないだろう。道徳主義、金に身売りする文学、そして、「芸術のための芸術」ならぬ「有用さのための有用さ」ばかりをもちあげる社会の風潮にたいして、ゴーチエは猛烈な反発を示している。そこから透けて見えるのは、同時代の俗悪さに抵抗する手段として、ほんとうの芸術の高貴さを守りたいという思いである。『アルベルチュス』の序文の末尾には、次のように記されている。

芸術とは、生にとって最良の慰めである。

16章　ボードレール――役に立つ人間はみじめである

代表作『悪の華《はな》』を、「フランス文学の達意の魔術師」ことテオフィル・ゴーチエに捧げたのが、象徴主義の詩人シャルル・ボードレールである。ボードレールは『赤裸《せきら》の心』で、実利主義にたいする拒否感がはっきりと読みとれるような思考を展開している（「役に立つ人間であることは、わたしにはいつも、なにかひどくみじめなことに思われた」）。『火《か》箭《せん》』の草稿のなかにも、似たような考えが見てとれる。『火箭』と『赤裸の心』はともに、生きることの居心地の悪さをめぐる、無慈悲な旅へと開かれた作品である。

ボードレールにとって、金を稼ぐためだけに商売へひた走る若者たちは、現代人の「落ちぶれた心」を象徴している。

この時代になると、息子は十八の年にではなく十二の年に、がつがつした早熟さから早くも一人前になって、家庭をとび出すことだろう。彼が家を出るのは、英雄的な冒険を求めてでも、塔にとじこめられた美女を救い出すためでも、崇高な思索によって屋根裏部屋に不朽の名誉を与えるためでもない。そうではなく、商売を始めるため、金持ちになるため、そして破廉恥《はれんち》な父親と張り合うためなのだ［……］。

「金銭以外のもの」がすべて、批判と断罪の対象となる一方で、「美徳に似たところがあるもの」は、「途方もなく滑稽《こっけい》」だと見なされる。司法さえもが、「成功のすべを知らない市民から、権利を剥奪《はくだつ》するようになる」。腐敗は家庭のなかにまで入りこみ、妻や娘は卑《いや》しい商品に姿を変える。

おお、ブルジョワよ、お前の妻、お前の貞節な半身、その法的な正当性がお前にとっての詩である女は、いまや目もあてられない破廉恥な行いを合法性のなかにもちこんで、お前の金庫を愛情こめて、油断なく見張り、理想の情婦そのものと化すだろう。お前の娘は、ゆりかごのなかにいるうちから、幼くして結婚の夢を見て、百万長者のもとへ売られていくことを望むだろう。そしてお前は、おお、ブルジョワよ、いまよりもっと詩人らしいところをなくし、こうしたことになんの不満も見いださず、なにひとつ悔やんだりしないだろう。

ボードレールは『赤裸の心』の後半部分で、商業や浅ましい利己主義にたいして、心からの軽蔑を表明している。

商取引は、その本質からして、悪魔的だ。

――商取引とは、しっぺ返しであり、「おれがお前にやるより多くを返せ」という下心をもって貸すことだ。

――あらゆる商人の精神は完全に腐敗している。

――商取引とは自然であり、ゆえにそれはけがらわしい。

――あらゆる商人のうちで、けがらわしさの度合いがいちばん低いのは、つぎのように言う商人だ「美徳を守ろうではないか。邪悪なばか者どもから、いまよりもっと多くの金をもうけるために」

――商人にとっては、誠実さそれ自体が金もうけの手段である。

――商取引は悪魔的だ、なぜならそれはエゴイズムの一形式、もっとも下劣でもっともいやしい形式であるから。

実利主義に支配され、誰もが利潤を追求するこの世界においては、詩を味わい、心と心の触れ合いを実感することは難しい。「じっさい、この時代の進歩のおかげで、お前の体内には腸《はらわた》しか残らないことになるだろう」

17章　詩を敵視するジョン・ロック

反対に、十七世紀イギリスの哲学者ジョン・ロックは、まさしく「役に立たないこと」を根拠に、詩にたいして攻撃を加えている。一六九三年に発表された『教育に関する考察』のなかで、ロックは学生に詩作を学ばせようとする人びとを批判している。詩に興味があるわけでもない若者にむりやり詩作を学ばせ、どこにでもいる三流詩人に仕立てることに、いったいなんの意味があるのかというわけである(「といいますのは、もし子どもに詩を作る才能がなければ、子どもは成功を得られずに苦しみ、時間を浪費することになるからです。それは、この世でもっとも不合理なことです」)。子どもに教育を施して、詩作の才能を伸ばしてやろうとする親にたいし、ロックは懐疑を投げかけている(「もし子どもに詩人肌のところがあったとしても、その父親が子どもの素質を伸ばすことを望んだり、あるいは黙認したりするのは、世にも不思議なことと言うほかありません」)。なぜなら、パルナッソス山でムーサ〔詩の女神。ギリシアのパルナッソス山に暮らしている〕に囲まれて生きることを望むなら、貧困を受け入れ、財産を殖《ふ》やすことは諦《あきら》めるしかなくなるからである。

わたしの考えでは、子どもの親はむしろ、そのようなこと［詩作］からできるだけわが子を遠ざけ、そうした活動を禁じるべきです。自分の息子を詩人にしたいなどと望む父親がいるということが、わたしにはどうにも理解できません。まさかそうした父親は、息子がそのほかいっさいの職業や商売を、軽蔑するようになればいいとでも考えているのでしょうか。とはいえ、それでもまだ、最悪の事態とは呼べません。立派な詩人であると周囲から認められ、才人としての評判を得た息子が、どんな仲間と付き合い、どんな場所で時間を過ごし、どんなふうに財産を浪費するようになるか、どうか考えてみてください。じっさい、パルナッソス山で金銀の鉱脈が見つかることは滅多にありません。そこは空気は清浄かもしれませんが、大地は不毛なのです。そこから得たもので、親から受け継いだ財産をすこしでも殖やした人の例を、わたしはほとんど知りません。

ロックの主たる関心事は「ジェントルマン」を育成することにある。紳士たるもの、実生活で役に立つ科学的、技術的な知識を身につけるべきだと彼は考えていた。だが、ロックが詩にたいして示すあからさまな反感は、当時の英国の社会状況を抜きにしては理解できない。この時代、イギリスの上流社会では、事物より言葉に重きを置く修辞教育が猛威をふるっていた。詩を敵視するこうした言葉（ちなみに、ロックは音楽にたいしても手厳しい批判を浴びせている）は、近ごろはやりの教育改革に熱心に取り組む政治家や教育コンサルタントの耳には、はたしてどう響くだろうか？　これはなかなか、返答の難しい問いである。長年にわたり人文系の学部で教えてきた自分の経験を振り返るなら、「役に立つこと＝善」という悪《あ》しき発想に毒された保護者から、何度もこんなふうに聞かれたものだ。「ねえ、先生、うちの子は文学部なんて卒業して、いったいこれからどうする気なんでしょう？」。おそらく、詩をけなすロックの言葉は、教育コンサルタントのみなさんを大いに喜ばせるのではないだろうか。

18章　ボッカッチョ――「パン」と詩

ジョヴァンニ・ボッカッチョにとって、詩の女神ムーサとは、肉も骨もある生身の女性のことだった。ボッカッチョの考えでは、ムーサのもとへ足しげく通うことは、よりよく生きることの助けになる。『デカメロン』のなかでボッカッチョは、しつこい中傷者たち、財産の追求にばかりあくせくする人びとに論争をしかけている。中傷者は彼にたいして、「詩人のお話」など放っておいて、「日々のパン」のことを考えるようにと忠告してくる。

わたしが飢えはしないかと心配して、わたしに同情を寄せ、日々のパンをどこから得るかをまず考えなさいと忠告してくる方々には、いったいなんと返答すればよいでしょうか。もちろん、わたしには、どう答えたらいいのかわかりません。もし、わたしが必要に迫られて、そうした方々にひと切れのパンでも乞おうものなら、きっとこう言われるでしょう。「きみのお話のなかからパンを見つけてきなさい」。じっさい、詩人は自分の語りのなかから、たびたびパンを見つけてきました。それは、裕福な人物が財宝のなかから見つけてくるより、もっと多くのパンだったこともあるのです。自分のお話のあとに付き従って歩み、時代に花を咲かせた詩人がいる一方で、反対に多くの詩人は、自分が必要とするよりも多くのパンを得ようとして、若くして命を落としました。

「詩人のお話」の値打ちは、それがもたらす「パン」の量で決まるわけではない。わたしたちが生きていくうえで、ほんとうに欠かせないものはなんなのかを教えてくれるからこそ、「詩人のお話」には価値がある。詩人の想像力は、「金を稼がなければいけない」、「役に立たなければいけない」という強迫観念から身を守るすべを教えてくれる。富を追い求めてやまない人びとによくあるように、そうした強迫観念は往々にして、若死《わかじ》にの原因となるものだから。

19章　ガルシア・ロルカ――詩の狂気を手放して生きるのは無謀である

先に触れたロックをはじめ、詩を敵視する人びとからの攻撃に、これまで数世紀にわたって多くの詩人や文学者が、間接的に応答してきた。なかでも、スペインの詩人フェデリコ・ガルシア・ロルカが、同じくスペインの詩人であるパブロ・ネルーダの作品を紹介する際に発した言葉は、わたしたちの胸を震わせずにはいない。

この偉大な詩人の言葉に注意深く耳を傾け、各人が各人なりのやり方で、詩人と感動を共有するよう努めてください。詩を楽しもうと思ったら、たいがいのスポーツと同じように、初学者として長い修練を積まなければいけません。とはいえ、本物の詩が秘める香り、アクセント、光り輝く一節は、わたしたちの誰もが感じとれるものです。どうか神が、わたしたちのなかに息づく狂気のかけらを守り、養ってくださいますように。多くの人は、書物から得るこまごまとした知識という、なんとも憎たらしい片めがねをかけるために、そうした狂気を殺してしまいます。しかし、この狂気を手放して生きるのは無謀なことです。

偉大な詩人がもうひとりの偉大な詩人について語る、この情熱にあふれる言葉は、一九三四年にマドリッド大学の講義室で発されたものである。ガルシア・ロルカは、目の前の若い読み手たちに、「わたしたちのなかに息づく狂気のかけら」でもって文学を養うよう、力強く誘いかけている。この狂気を手放して生きることは、あまりにも「無謀」だから。

20章 「役に立たないこと」と「無私」の英雄——ドン・キホーテの狂気

世界文学の歴史に決定的な足跡を残した人物の途方もない冒険は、まさしく「狂気」に端を発している。かのドン・キホーテこそは、「役に立たないこと」の英雄と呼ぶにふさわしい。ドン・キホーテは大量の騎士道物語に読みふけったすえに、みずからが生きる時代の「悪徳が美徳に打ち克つ」堕落した現実を正そうと決心する。

しかし、あのような至福は堕落したわれわれの時代にはふさわしくない。王国の守りも、乙女たちの庇護《ひご》も、孤児たちに対する援助も、思いあがった連中を懲《こ》らしめることも、慎《つつ》ましやかな者たちを顕賞《けんしょう》することも、なにもかも遍歴の騎士が引き受け、おのが任務としてその双肩《そうけん》に担っていた良き時代が享受していたあの幸せを得る資格は、いまの世にはないのじゃ。

「騎士道物語などすべて嘘であり偽りであって、国家にとって有害な無用の長物である」と確信し、そうした書物を火にくべることさえ厭《いと》わない同時代の人びとに抗して、勇気にあふれるこの「遍歴の騎士」は、「世界がいまもっとも必要としているのは遍歴の騎士であり、世の中に遍歴の騎士道をよみがえらせることだ」という信念のもとに、苦難に満ちた騎士道を突き進んでいく。自身の肉体（「がりがりで頬《ほお》はこけていた」）、装備（「彼がまず最初にしたことは、すっかりさびついて、かびだらけになったまま、長年にわたり家の片隅に押しやられ忘れ去られていた、曾祖父の甲冑《かっちゅう》を掃除することであった」）、やせ馬（「それは一レアル銀貨を両替した小銭《クワルトス》より多くの蹄割《クワルトス》れのある、そして《全身コレ皮ト骨バカリナリキ》といわれた、かの道化役ゴネーラの馬よりもひどい、体のあちこちを悪くした駄馬であった」）の限界もかえりみず、われらが英雄は「道なき道」をひたすら進む。

ドン・キホーテの行動はすべて「無私の精神」からくるものであり、みずからの理想に情熱をもって奉仕することが彼の唯一の目的である。従者のサンチョ・パンサや、遍歴の途中で出会うさまざまな人物——多くの場合、実利的な目的とは関係のない行動の意味を理解できない、わたしたちの社会を代表している——との会話のなかで、ドン・キホーテは富への軽蔑を表明し、自分にとって大事なのは名誉だけだと語っている（「拙者《せっしゃ》は、おのれの運命に導かれて遍歴の騎士道の狭く険しい道を行く者であって、その本分をまっとうするため、財貨などはさげすみ、そのかわりに名誉を追い求めるのでござる」）。実際のところ、「無私の精神」を抜きにして、どうやって「愛」について語ることができるだろう？　「遍歴の騎士」たる者、「ただ思いを寄せる姫にお仕えすることだけに心を砕《くだ》き、自分の献身的な奉仕と熱意にたいする報酬としては、貴婦人を崇拝する騎士として彼女から認めてもらうことのほか」にはなにも期待せずに、愛する女性を守らなければならないのだ。

要するに著者セルバンテスは、自身の作品の重要なテーマをめぐって、たがいに矛盾するようなことを書いている。一方では、騎士道物語にたいする非難が、幻想から覚めるようにと読者に促している。だが他方では、理想への情熱を通じて生に意味を与えるものとして、幻想を礼讃《らいさん》しているようにも読める。卓越したセルバンテス学者であるフランシスコ・リコが強調しているように、わたしたちの英雄が、物語への並外れた愛と他者の人生にたいするむさぼるような関心を示していることは、けっして偶然ではない。いずれにせよ、「憂い顔の騎士」によるなんの役にも立たない「無私」の冒険は、読み手の心にさまざまな教訓を残していく。そのうちのひとつが、失敗することが決定づけられている試みにも、ときには勇気をもって立ち向かわなければならない、という教えである。この世には、遠い未来に偉大ななにかをもたらす可能性を秘めた、栄光に輝く敗北というものがある（「というのも、真実はやせ細りはするかもしれないがけっして途絶えることはなく、ちょうど油が水の上に浮かぶように、つねに偽りの上に現れでるからである」）。

一九八九年、天安門広場で戦車に立ち向かった無防備な青年の身ぶりが、写真家のジェフ・ワイドナーにより不死の生を与えられ、二十世紀におけるもっとも大きな影響をもった試みとして、約十年後の一九九八年に雑誌「タイム」で紹介されることになることなど、いったい誰に想像ができただろう？

21章　コークタウンの「事実」——実利主義へのディケンズの批判

「事実」と実利主義の名のもとに想像力にたいして仕掛けられた戦争を、チャールズ・ディケンズほどたくみに書いた作家はほかにいない。『ハード・タイムズ』のなかで描写される、読者の心に長く残るであろうコークタウンという町では、なにもかもが「役に立つこと」の哲学に従っている。太った銀行家のバウンダビー氏と教育者であるグラッドグラインド氏は、「具体的であること」や「生産的であること」の妨げになりうるすべてのものを排除するため、日々闘争に明け暮れている。

「人生で必要なのは〈事実〉だけなんだよ、きみ、〈事実〉だけなんだ！」グラッドグラインド氏は、想像力、感覚、愛情に向けて開かれた教育の敵であり、「物差しと秤《はかり》と掛け算表をいつもポケットに入れて、人間性という荷物の重さや寸法を測り、それが正確にいくらになるかを言えるようにしている」人物として描かれている。彼にとって教育と人生は「たんなる数字の問題」であり、「簡単な算数の一例」に過ぎない。こうして、児童たちは「事実でいっぱいに満たされるはずの小さな水差し」と見なされるようになる。

学校はコークタウンと完璧な調和を実現している。コークタウンは町であると同時に工場であり、「どれも似たような大通りが数本あり、さらに似かよった多くの小さな通りがあって、そこには通りと同様に、似かよった人びとが住んでいた。彼らはみな、同じ仕事をするために、同じ時刻に、同じ舗道《ほどう》に、同じ音を立てて出かけ、そして帰ってきた。また、彼らにとってはどの日も前の日、次の日とまったく同じであり、どの年も前の年、次の年とそっくりであった」。この共同体ではどんなものも、「事実」として認識されないかぎり、物質的にも精神的にも存在する権利をもたなかった。

事実、事実、事実、これは町の物質的な局面のいたるところに存在する。事実、事実、事実、これは精神的なもののなかのいたるところに存在する。マッチョーカムチャイルドの学校はすべて事実、デザイン学校はすべて事実、主人と下男の関係もすべて事実、そして産院と墓地のあいだもすべて事実であって、数字で表せないもの、いちばん安い場所で買えて、いちばん高い市場で売れるということを示さないものは存在しなかったし、これからも永遠に存在しないだろう。アーメン。

22章 ハイデガー――「役に立たないこと」を理解するのは難しい

「役に立つこと（立たないこと）」というテーマに――とりわけ芸術作品の本質をめぐる考察のなかで――たびたび立ち返っているのが、哲学者のマルティン・ハイデガーである。ここでは、『存在と時間』の議論を読み解くために行われた鋭い考察を想起するにとどめておきたい。ハイデガーはメダルト・ボス（スイス出身の心理学者で、チューリヒ近郊のツォリコーンにある自宅にハイデガーを招き、若い心理療法士を対象としたゼミナールを企画した人物）との面談を通じて、「有用性」にかんする考察を進めている。一九六三年の四月二十四日から五月四日まで、ともに休暇を過ごしたシチリア島のタオルミーナにて、ボスはハイデガーにたいし、人間存在の本質や、人間が他者と築く関係性について問いを重ねている。

いわゆる「現存在」をめぐる会話――「現存在はつねに世界内存在として、事物を配慮すること、およびともに存在する者に関心を向けることとして、たがいに出会う人びとの共存性として見られるべきもの」とハイデガーは語っている――のなかで、この哲学者は「役に立たないことの有用性」について、言葉を尽くして解説している。

もっとも役に立つもの、それは役に立たないものです。しかし、役に立たないものを経験すること、これこそが今日の人間にとってもっとも困難なことです。ここで言う「役に立つ」ものとは、直接に技術的な目的のために、なんらかの効果を生み、それによってわたしが経済をやりくりしたり生産したりできるもののために、実用的に使用できるものとして理解されます。役に立つものというのは、癒《いや》しをもたらすものという意味で、つまり人間を人間自身へもたらしてくれるものとして見なければなりません。

ギリシア語では、「テオリア」は純粋な憩《いこ》いです。これは最高の「エネルゲイア」、最高の仕方で自分を働かせることであり、あらゆる実用的な方策を度外視したものです。それは現存そのものを現存せしめることなのです。

「役に立つ」という概念を、技術的、商業的な目的から解放しようと努めつつ、同時代人にとって「役に立たないこと」を理解するのがいかに難しいかということを、ハイデガーは明快に語っている。事実、「今日の人間」にとって、「技術的な目的」のための使用を前提としていないものに関心を寄せることは、ますます難しくなっている。

23章　「役に立たないこと」と生の本質――荘子と岡倉天心

「役に立たないこと」が「役に立つ」という発想は、紀元前四世紀を生きた荘子《そうし》の思想のなかで、早くも中心的な位置を占めていた。自然や、人生訓や、絶えざる変転について語られた著作のなかで、この中国の思想家はたびたび、「役に立たないこと」というテーマに向き合っている。たとえば、ある樹木が生きてきた気の遠くなるような歳月を語るなかで（「これはやはり、世間並みの使い道のない木なのだ。だからこそ、切り倒されることもなく、こんなに巨大になったのだ。ああ、神に近しい人間は、これと同じように並の使い道がないので、あのように偉大であるというわけか」）、荘子はまさしく、「役に立つことが災難を引き起こす」と主張している。また別の箇所では、名家の思想家である恵子《けいし》との短いやりとりにおいて、「役に立たないこと」の大切さを理解せずに「役に立つこと」を深く知るのは困難であると語られている。

恵子があるとき、荘子を批判して言った。「あなたの哲学は、現実にたいしてなんの役にも立ちませんね」。荘子はこう反論した。「役に立たないものについての深い認識をもってはじめて、役に立つことを論じ合うことができるのだ」

日本の岡倉覚三（天心）は、「役に立たないこと」の発見こそが、「獣性《フェリタース》」から「人間性《フーマーニタース》」へ移行する跳躍であったと指摘している。『茶の本』の、「花」に捧げられた章のなかでは、人間が愛の詩を詠《よ》むようになったのは、花への愛が生まれた瞬間だったという仮説が披露されている。

原始時代の人はその恋人に初めて花輪を捧げると、それによって獣性を脱した。人はこうして、粗野な自然の必要を超越して人間らしくなった。役に立たないものの微妙な用途を認めたとき、人間は芸術の国に足を踏み入れたのである。

人間はこのように、花を摘《つ》むという単純な身ぶりを通じて、より人間らしくなる機会を捉えたのだ。

24章　ユージェーヌ・イヨネスコ――「役に立つこと」は無益な重荷である

反対に、生きることの意味を見失った現代の人間について、ユージェーヌ・イヨネスコはきわめて今日的な考察を加えている。仏独の作家が集まった一九六一年二月の集会において、この偉大な劇作家は、「役に立たないこと」はわたしたちにとってかけがえのないものであると断言している。

たとえば、通りを忙しそうに駆けまわっている人びとの姿を見てごらんなさい。左右を見もしないで、ぼんやりとうつむいているその姿は、まるで犬にそっくりではありませんか。彼らはただまっすぐに進んでいく、しかし、けっして行く手を見たりはしない、なぜなら、あらかじめわかっている行程を機械的に進んでいくだけなのですから。世界じゅうどの大都会でも、みんな似たり寄ったりです。世界共通の現代人とは忙しい人間のことであり、暇がなくて、必要性だけにとらわれて、ものが役に立たないこともありえるということが理解できません。実際には、役に立つものこそ無益な重荷になるのに、それすらも理解できないのです。しかし、無用なものの有用性、有用なものの無用性を理解しなければ、芸術は理解できません。そして、芸術を理解しない国は奴隷もしくはロボットの国、笑うこともほほえむこともない不幸な人びとの国、精神のない国です。そこにはユーモアもなければ笑いもなく、あるのは憎しみと怒りばかりです。

役に立たないものの前で立ちどまる時間がない現代人は、魂をもたない機械になるべく定められている。必要性にとらわれた人びとには、「役に立つもの」が「無益な重荷」になりうるということも、「無用なものの有用性、有用なものの無用性を理解しなければ、芸術は理解できない」ということもわからない。こうして、芸術を理解できない人間は奴隷かロボットとなり、笑うことも喜ぶこともできない病める存在と化す。同時に、この種の人びとはいともたやすく、「常軌を逸した狂信」や「ある種の集団的な怒りの発作」に感染してしまう（ここ数十年のあいだに猛威をふるっている、狂気じみた信仰のことを思い浮かべてみるといい)。

というのも、忙しくて不安げなこれらの人びとは、人間の目的とは異なるある目的、幻影に過ぎないある目的に向かって突っ走るうちに、ラッパの響きなり、狂人か悪魔の呼びかけなりに応じて、いきなり常軌を逸した狂信やある種の集団的な怒りの発作、大衆のヒステリー症状に感染してしまうことがあるからです。左右を問わず、あらゆる種類の『犀《さい》』的状況〔イヨネスコの戯曲『犀』への仄《ほの》めかし。疫病のために人間が動物の犀になる状況を描く。犀になった人びとは批判的思考を失い、社会が課してくる常識を受け入れるだけの存在となる〕の脅威が、反省する時間のない人類、活気と精神を取り戻す時間のない人類の上にのしかかっていて、孤独への感覚と趣味を失ってしまった今日の人間をとらえようとして絶えず機をうかがっているのです。

25章　イタロ・カルヴィーノ――「無私」が本質を明らかにする

文学と科学の関係について深い考察をめぐらせたイタロ・カルヴィーノは、西欧を代表する「無私の知の擁護《ようご》者」でもあった。作家であり批評家でもあるこのイタリア人は、「まったくの無私」であり、本質とはかかわりがないように思える活動が、じつのところ人間にとってなによりも本質的なのだと示唆している。

難しい問題を解くという楽しみと満足のほかにはいかなる目的ももたない、まったくの無私と思える行為にたいして人間が示す熱意が、思いもよらない領域におけるなにか本質的なものを啓示し、その結果がはるか遠くまでおよぶということがよくある。これは詩にかんしても、また科学やテクノロジーにかんしても言えることである。遊びはつねに文化の大きな推進力だったのだ。

あらゆる実利的な目的に反旗をひるがえすカルヴィーノは、古典もまた、「なにかの役に立つから」という理由で読まれるべきではないと主張している。古典はただ、それを読む喜び、古典とともに旅する楽しみのためだけに読まれるものである。古典を読みたいという気持ちは、なにかを知りたい、たがいを知り合いたいという欲求にのみ駆り立てられる。

26章　エミール・シオランとソクラテスの笛

ルーマニア生まれの思想家エミール・シオラン――『崩壊概論』では、「役に立つ存在でありたいという愚かな強迫観念」に短い一節を捧げている――は『四つ裂きの刑』のなかで、処刑人が毒にんじんの調合を進めるかたわらで、ソクラテスが笛の練習に没頭していた逸話に触れている。「そんなことをして、なんの役に立つのか?」と問われたソクラテスは、平然とした態度で答えたという。「死ぬ前に、この曲を吹けるようになるさ」。シオランはこのエピソードを引きながら、「知ること」の本質について説明しようとしている。

さまざまな手引書に取りあげられて陳腐なものと化した「ソクラテスの」返答を、ここでまた取りあげる気になったのには理由がある。わたしにとってこの答えは、死の直前、あるいはほかのいかなる瞬間に実践されたのだとしても、「知ること」へのあらゆる意志を正当化する唯一確実な根拠に思えるからである。

シオランにとって、「上昇」の運動はどのような種類のものであれ、「役に立たないこと」を前提としている。「役に立たない例外、誰も気にかけないモデル。自分自身の目にとまるために上昇したいと望むなら、まさしくこうした地位を欲しなければならない」

文学や芸術の創造活動は、特定の目的には結びつかない。それでも、良識すら凍《い》てつくようなわたしたちの時代にあって、人文学の知、いかなる実利主義からも自由な科学研究、役立たずと見なされるあらゆる「余剰」には、ますます重要な役割が課されている。わたしたちの記憶や、不当にも忘れられようとしている歴史が保管されている巨大な納屋《なや》のなかで、「役に立たない」知識は、希望を養い、野蛮な時勢に対抗するための、きわめて「役に立つ」手段になりうるから。

第2部　企業としての大学と、顧客としての学生

わたしに特別な才能はありません。
わたしはただ、とびきり好奇心が強かっただけです。

アルベルト・アインシュタインによる、カール・ゼーリヒへの手紙

1章　国家の「撤退」

文学の偉大な古典をひもとく前に、利潤の論理が教育の世界にもたらす破滅的な影響について、すこし考えてみたい。ごく最近も、マーサ・ヌスバウムの著書（『経済成長がすべてか？』）のなかで、教育の現場で進行中の「堕落」が多くの具体例とともに提示されていた。ドイツをはじめとするわずかな例外を除き、ヨーロッパの大多数の国々――とくにイタリア――では、直近の十年で大胆な「教育改革」が推進され、終わることのない予算削減により学校や大学が痛めつけられてきた。国家は徐々に――とはいえ、不安を引き起こさずにはいないやり方で――教育や基礎研究の世界からの「撤退」を進めている。それと並行して進行しているのが、大学の「高校化」という現象である。あと数年もすれば、教育の現場で「コペルニクス的転回」が生じ、大学教員の役割や大学における教育水準は根本的な変化をこうむるだろう。

留年・退学の問題を解決するための（むなしい）試みとして、ヨーロッパのほとんどの国々は、単位取得の難易度を下げる方向に舵《かじ》を切っているように見える。法により定められた年限で学生が卒業できるように、そして、学習をより「快適な」ものにするために、いままで以上の刻苦《こっく》勉励《べんれい》を学生に促すのではなく、むしろ反対に、講義内容の段階的な縮小と簡素化という「甘い罠」によって、学生を引き寄せようとしている。「双方向《インタラクティブ》」の名のもとに行われる講義は、表面をなでるだけのお遊戯となる。懇切丁寧な「スライド」がスクリーンに映し出され、テストでは選択式の問題を解くだけで点数がとれるようになる。

それだけではない。大学生の留年・退学が深刻な問題となっているイタリアでは、法が定める年限内に学生を卒業させるという目標を達成した大学には、財政的な「ご褒美」が与えられる。他方、省庁の勧告に従わない大学には、厳しい制裁が待っている。こうしたわけで、二〇一二年に千人の学生が入学したならば、その三年後には、千人の卒業生が大学を巣立っていく勘定になる［イタリアでは、日本の「学部」に相当する課程は、最短三年で卒業できる」。まっとうな立法者なら、「量（クアンティタース）」だけでなく、「質（クアーリタース）」にも配慮したいと願うのが当然だろう。だが、残念ながら新卒業生は、ほんとうの実力を判定されることもないままに課程を終える。慢性的な財政難に苦しめられ、補助金の獲得に奔走《ほんそう》する大学は、卒業生を量産すべく、不可能を可能にする策略を講じざるをえなくなる。

2章　学生は「お客さま」

ベルギーの作家シモン・レイスが、大学界の堕落を憂《うれ》えた講義のなかで指摘しているところによれば、いまやカナダの一部の大学では、学生は「お客さま」と見なされるようになっているという。世界でもっとも重要な私立大学のひとつでも、まったく同じ状況が進行しつつある。フランスの哲学者エマニュエル・ジャフランが、二〇一二年五月二十八日付の仏「ル・モンド」紙に書いているように、ハーヴァード大学では教員と学生のあいだに、ある種の「恩顧主義〔打算にもとづく関係性のこと〕」が成り立っている。「ハーヴァードに高額の授業料を納《おさ》めている学生は、教員が学識豊かで、能力にあふれ、教育者として適格であるだけでは満足しない。それに加えて、大学教員は従順であることが求められる。というのも、お客さまは王さまだから」。あるいは、こういう見方もできる。アメリカの学生の多くが抱えている「学生ローン」——総額は一兆ドルにもなるという——が、「知識よりも、収入を追い求めるよう」学生に余儀なくさせているのだ、と。

実際、収支表に記された数字のなかで学長や理事たちがもっとも大きな関心を寄せるのは、学生が支払う授業料である。近ごろは国立の教育機関でも、この数字の重みが増してきている。大学は、自動車や食品を売る企業のように宣伝活動に努め、あらゆる手段を使って学生をかき集めようとする。残念ながら、いまの大学は、学位や卒業証書を金で売っているのだと言われても仕方がない状況に陥っている。自社の商品（＝講義）を多くの顧客（＝学生）に売るために、大学は「職業訓練校」としての性格を強調し、卒業すればすぐに仕事が見つかるとか、高収入が得られるとかいった謳い文句で若者を誘いこむ。

3章　企業としての大学と、会社員としての教員

要するに、いまの大学（そして高校）は、私企業と変わらなくなっている。たしかに、むだな支出を削減したり、放漫財政を批判したりすることだけを目的とするのなら、教育現場に企業のロジックをもちこむことにも一定の理はあるかもしれない。だが、ひとたび「企業としての大学」という視点を採用するなり、校長や理事長が達成すべき最終的な目標は、市場に「人材」として送り出すべき卒業生を量産することになる。教育者としての着慣れた衣服を脱ぎ捨て、「マネージャー」のスーツを身につけた大学人は、自身が運営する企業の競争力を高めることに注力し、バランスシートの健全化に邁進《まいしん》する。

現場の教員もまた、大学という企業の経営に奉仕する平凡な会社員と化しつつある。書類を作成し、計算し、（目的のはっきりしない）統計調査のために報告書を執筆し、先細り

する一方の収支を合わせ、アンケートに答え、わずかな助成金を得るために研究計画を立案し、混乱と矛盾に満ちた省庁の通達を読み解くうちに、大学教員の一日は暮れてゆく。役人が押しつけてくる疲れを知らないメトロノームのリズムに従って(大学経営、博士課程、学科、学部などを議題とする)あらゆる種類の会議が招集され、果てしない議論を交わし、ふと気づけば学期末を迎えている。

自分が大学人であることすら忘れてしまったのか、もはや誰も、研究と教育の「質」のことなど気にかけない。新しいテーマについて学んだり——「学ぶこと」は、ひとり学生のみならず、優れた教員にとっても必須の営みであることを、多くの人びとが忘れている——講義の準備をしたりするのは「贅沢《ぜいたく》な」過ごし方であり、そのための時間は、大学の上層部との日々の闘争を通じて勝ち取ってこなければならない。教育と研究を完全に切り離してしまっては、講義は前年度(あるいはそれ以前)の内容を反復するだけの、表層的かつマニュアル的なものにならざるをえないのだが、大方の大学関係者にはもう、そのことが理解できなくなっている。

学校や大学を、企業のように運営することはできない。社会を支配する市場やビジネスの原理がわたしたちに教えこもうとしているのとは反対に、文化はその本質からして、「無私（無償）」の精神に基礎を置いている。ヨーロッパの大学や、コレージュ・ド・フランス（国立特別高等教育機関。一五三〇年にフランソワ一世が創設）のような歴史ある教育機関――後者がヨーロッパの歴史に果たした重要性については、文学史家のマルク・フュマロリが、ナポリの「イタリア哲学研究所」で開かれた講演で熱をこめて語っている――の偉大な伝統は、研究（学び）とはまずもって、わたしたちを成長させ、より自立した存在にする、実利的なしがらみから自由な知識の獲得であることを教えている。実利主義者が好む用語を使うなら、次のように言うこともできる。一見したところ役に立たない経験や、数値化できない財産の獲得こそが、「長期的な」視点で見れば、「利潤」をもたらす「投資」となるのである。

もちろん、特定の職業に必要な専門知識を授けることは、学校や大学の重要な存在意義のひとつである。だが、教育の目的はほんとうに、医師や、エンジニアや、弁護士を育てることに還元されるのだろうか？　学生を職業人に仕立てることにばかり注力していては、教育に備わっている普遍的な効能を見落とすことにもなりかねない。どのような職業に従事するのであれ、その職業に必要とされる専門的な能力を身につけるだけで事足りるわけではない。ひとりの人間として生きていくには、専門的な知識を、より広い文化的な素養で裏打ちしなければいけないのだ。このような素養があればこそ、学生はみずから進んで知見を積みかさね、好奇心を自由に発揮できるようになる。個人と職業を完全に同一視することは、きわめて重大な誤りである。自分が従事する職業を超えて出る「なにか」は、わたしたちひとりひとりのうちに、はっきりとした形で息づいている。実利主義の考え方から遠く離れた、教育のこのような側面を抜きにしては、未来を生きる責任ある市民をイメージすることはもはや難しくなるだろう。公共の利益を大切にし、弱者への連帯を表明し、寛容を擁護《ようご》し、失われた自由の回復を求め、自然を守り、公正を支持するために、みずからの利己主義を迷いなく手放せる市民を育てることが、教育の本来の役割なのだが……。

ここで、モンテスキュー『わが随想』に記された熱のこもった言葉を読み返してみたい。そこに見いだされる「価値の階段」は、狭苦しい境界を踏みこえて、かぎりない普遍の空間へ飛びこんでいくように、わたしたちに促しているようでもある。

わたしにとっては有益だが、家族にとっては害がある知識を得たら、わたしはそれを頭から追い出すだろう。家族にとっては有益だが、祖国にとっては害がある知識を得たら、わたしはそれを忘れるよう努めるだろう。祖国にとっては有益だが、ヨーロッパにとっては害がある知識、あるいは、ヨーロッパにとっては有益だが、人類にとっては害がある知識を得たら、わたしはそれを犯罪と見なすだろう。

4章　ヴィクトル・ユゴー——経済危機のために、文化予算を削るべからず

ヨーロッパ各国の政府要人には、ヴィクトル・ユゴーが国民憲法議会で行った情熱的な演説を一読することをおすすめしたい。これらの言葉が語られたのは一八四八年十一月十日のことだが、原稿が書かれたのは昨日だと言われても、わたしはまったく驚かないだろ

う。このフランスの大文豪による異議申し立ては、まさしく現代人に向けられた言葉のように読める。文化関連の予算のカットを目論《もくろ》む省庁にたいし、ユゴーは説得力に富む反論を提示し、それがまったく効果のない有害な選択であることを説き明かしている。

科学、文学、芸術関連の特別予算の削減案にたいして、わたしはふたつの理由から、否定的な立場をとっています。財政的な観点に立つならば、それは無意味であり、そのほかすべての観点に立つならば、それは有害だからです。これはあまりにも明白な話なので、自分が行った計算結果を議会に提出することにたいし、わたしは戸惑いを覚えるほどです〔……〕。想像してみてください。千五百フランの年収があり、自身の知的な文化活動のために〔……〕毎年五フラン（どう考えても控えめな額です）を充《あ》てている人物が、年度の変わり目に、今後は文化のために使うのは年に五サンチーム〔一サンチームは一フランの百分の一〕にしようと決めたとしたら、みなさんはいったいどう思われますか？

国家のための（見当外れな）節約が、図書館や、博物館や、文書館や、学校や、そのほか多くの重要な機関にとって命とりになることがありうる。ユゴーが名前を挙げているのは、コレージュ・ド・フランス、国立歴史博物館、国立古文書学校など、フランスが誇るべき数々の文化機関である。コストカットしか頭にない政治家と役人が、軽くペンを走らせて作成した予算案が、結果的には国家全体に侮辱を与え、芸術家や詩人の哀れな家族は、なんの支えもないままに路頭に迷う（「芸術家、詩人、著名な作家は、生涯にわたって働きつづけ、裕福になることなど顧《かえり》みずに仕事に奉仕し、やがて天に召されるときには、国家に多大な栄光をもたらしながら、妻と子どもにはひとかけらのパンしか残してやれないものなのです」）。

だが、それよりも重大な過ちは、緊縮財政を適用するタイミングが完全に間違っているという点である。国家は反対に、文化活動や公教育の充実を必要としている。

なぜ、よりによって「いま」なのでしょう？　わたしはここに、そもそものはじめから、重大な政治的過ちを見てとっていました。なぜ、よりによっていま、あらゆる文化機関の足もとをぐらつかせる政策を選択するのでしょう？　いまはむしろ、そうした機関がかつてなく必要とされ、制限するよりもむしろ、それを増やし、育てていくべき時局なのに。

経済危機が国家を痛めつけている時代こそ、知識のため、若者の教育のために、多くの予算を振り向けることが必要になる。それは、社会が「無知」という深淵《しんえん》に転げ落ちるのを防ぐためである。

現状、社会の大きな脅威となっているものはなんでしょうか？ それは無知です。無知は貧困よりも深刻な問題です。［……］このような状況下、かかる危険を前にしながら、われわれはいま、無知を捕まえ、無知と闘い、無知を破壊することを目指すこれらあらゆる機関の手足をもぎ、衣服を剝《は》ぎとろうとしているのです。

ユゴーから言わせれば、「明かり」で照らすべきなのは都市だけではない。なぜなら、「夜の闇が道徳の世界におりることもあるから」である。わたしたちみなが物質的な生のことばかり考えるようになってしまっては、いったい誰が「頭のためにたいまつを灯《とも》す」役割を受けもってくれるだろう。

もちろんわたしは、わが兄弟である労働者たちのためのパンを、熱烈に、心から求めています。しかし、生活のためのパンの横には、思索のためのパンが添えられていてほしいと思うのです。それもまた、生きるために必要なパンなのだから。わたしは、肉体を養うパンといっしょに、精神を養うパンを増やしていきたいと望んでいます。

実利主義の泥沼から人間を引きあげ、「無私」や「美」への愛を教えることは、公教育が果たすべき大切な使命のひとつである（「人間の精神をふたたび高め、神へ、知識へ、美へ、公正へ、真理へ、無私へ、偉大なものへ、眼差しを向けさせる必要があるのです」）。この目的を達成するには、「これまでの政府」や現在の「財務委員会」とは反対の方針を採らなければならない。

学校、教員のポスト、図書館、博物館、劇場、書店を増やすべきです。子どものための学習所や成人のための読書室、考えて、教わって、集まって、学んで、より優れた人間になるための、あらゆる組織、あらゆる施設を増やすべきです。ひとことで言うならば、民衆の精神に、あらゆる角度から光が注ぐようにすべきなのです。なぜなら、人が道を踏み外すのは、暗闇を歩いているときだから。

ユゴーの苛烈《かれつ》な言葉は、目先のことしか考えられない愚かな政治階級に向けられている。この手の人びとは、金銭を節約しているつもりで国家の文化的な解体に荷担《かたん》し、有形無形の優れた文物を破壊しにかかっている。

あなた方は嘆かわしい間違いを犯しています。あなた方は、出費を減らせたと思いこんでいる。だが、実際に目減りしたのは、栄光なのです。

5章　トクヴィル――「手軽な美しさ」と商業民主主義の危険

アメリカに見られるような「商業民主主義」がもたらす危険について、十九世紀フランスの歴史家であるアレクシ・ド・トクヴィルは、かの有名な『アメリカの民主主義』のなかで鋭く分析している。これは、アメリカの社会と政治についてヨーロッパの読者に伝えた、鮮烈かつ明晰《めいせき》な報告書である。トクヴィルはそこで、金もうけや利潤の獲得に血道をあげる社会がどのような危険に陥るか、未来を先読みするかのように洞察している。

学問や研究にもいろいろなやり方がある。多くの人びとは利己的な動機から、すなわち、金もうけや仕事のために、知的発見に意欲を燃やす。こうした意欲を、少数の人間の胸中に燃える、真理への無私の情熱と混同してはならない。この世には、知識を利用しようとする欲求と、知りたいという純粋な欲求とがあるのだ。

ほかでもない、「余剰の欠如」と、財産を得るために各人が励む「継続的な努力」が、「人の心のなかで、美しいものへの愛よりも〈役に立つこと〉を好む気持ちを優越させる」。実利主義が幅を利かせる社会では、人はやがて、鑑賞のために努力や長い時間を費やす必要のない、「手軽な美」しか愛さないようになる(「この人たちは、手に入れるのが簡単で、すぐに読めて、理解するのに知的の探求のいらない本を好む」)。

このような精神の傾向をもつ人びとにとっては、どんなものであれ、富への最短の道を開く新たな方法や労働を短縮する機械、生産コストを削減する道具や快楽を刺激し増幅する発見は、すべて人間の頭脳のもっとも素晴らしい成果のように見える。民主的諸国の人民はもっぱらこの方面で学問に熱中し、これを理解し尊重する。貴族制の世紀に人が学問に求めるのはおもに精神の満足だが、デモクラシーにあっては肉体の満足である。

トクヴィルの考えでは、「このように組織された社会では、人間の精神はいつの間にか、理論を軽視する」ようになる。事実、アメリカには「人間の知識の本質的に理論的かつ抽象的な分野の研究に打ち込む人はほとんどいない。程度の差はあれ、おそらくどんな民主的国民にも見られるはずの傾向を、アメリカ人は極端に示している」。役に立つことを追い求め、知的活動を軽視するうちに、人間は野蛮の坂を転げ落ちる。「蛮族はまだ遠くにいると考えて安心してはならない。文明の火を奪われる人民もあれば、自分の足でこれをもみ消してしまう人民もあるからである」。だからこそ、「古代の著作を養分とすること」は、「良い薬」になる。もちろん、トクヴィルはなにも、古典や芸術だけが、知性の砂漠化に抗するための唯一の解毒剤であると主張しているわけではない。それでも、彼が確信しているところによれば、役に立たない無私の知識は「わたしたちに特有の欠点を補うのに驚くほど役立ちうる」。なぜなら、そうした知識は「転落しようとするわたしたちを、崖っぷちで支えてくれるから」

6章　ゲルツェン――時間のない商人たち

ロシアの偉大な作家アレクサンドル・ゲルツェンもまた――トクヴィルへの反発にもかかわらず――同時代の商人を、商業にすべてを捧げる人種と見なしている（「重要なのは商品であり、事業であり、物である。すなわち、財産こそが本質なのだ」）。ゲルツェンは『過去と思索』のなかで、同時代人の生き方に指針を与えている「福音書」の内容を見事に説明している。

彼らの福音書は簡単である。「稼ぎ、かつ、汝《なんじ》の収入を海の真砂《まさご》のごとく殖《ふ》やせ。破産することなく、汝の経済的、精神的資本を利用し、乱用せよ。されば汝は満ち足り、敬われ、長生きし、子どもを結婚させて、汝にまつわるよき思い出を残すだろう」

「ショーウィンドーに陳列した商品を売ったり」、「半値で買ったり」することにばかり熱中する人びとは、しまいには「がらくたを本物のように見せかけ」、外見ばかりを飾り立てるようになる（「［この人たちは］外見が中身であるかのように偽る」）。「内面的な品位」よりも「見栄え」に重きが置かれる社会では、「粗野な無知が教養のような外観を備えていたとしても」驚くにはあたらない。そして、「商品の流通やみずからの社会的立場にとって〈役に立つ〉もののほかは、なにひとつ本質的ではないのだから、［このような社会における］教育の中身は限定的でなければならない」。そこでは、人生とは「金《かね》のための終わりなき闘争」であり、人間は事実上、「私有財産の付属物」となる。

生活は株式の投機となり、雑誌の編集も、選挙も、議会も、すべてが両替屋と市場に変わった。

7章　バタイユ――有用性の限界と、「余剰」が秘める生命力

ジョルジュ・バタイユ『有用性の限界』は、反‐実利主義の観点から、経済活動に冷徹な分析を加えた著作である。一九三九年から四五年にかけて、いくつもの草稿が執筆されたものの、バタイユはついに決定稿を仕上げることはできなかった。だが、今日まで残っている文章に目を通せば、断片的な思考の連なりのなかで、この世界を見てとるための相反するふたつの視点が対置されていることがわかるだろう。ひとつは、有用性という強迫観念にもとづく視点であり、もうひとつは、利潤という発想を完全に欠いた「贈与」にもとづく視点である。この根本的な対立が、わたしたちの生をめぐる、ふたつの矛盾した状況を引き起こしている。一方には、狭い意味での経済（そこには、生産と成長に貢献する可能性があるものしか存在しない）に従属する存在があり、他方には、エネルギーの贅沢《ぜいたく》な浪

費に特徴づけられる世界（そこでは、あらゆる限界を超えて、「非生産的」と見なされるものこそが必要となる）の無限に広がる存在がある。

ジェローム・ランドンに宛てた手紙のなかでバタイユは、新しい叢書《そうしょ》（「富の利用」叢書）の刊行計画について説明しつつ、ふたつの概念の対立についてきわめて明確に語っている。

わたしはまず、いかなる経済学的分析にも依拠しない簡潔な原則から始めたい。思うに、生の一般法則は、次のように求めているのではないだろうか。新しい環境下に置かれた生命体は、生存に必要とされる分よりも多くのエネルギーを生みださなければならない、と。そうなると、利用可能なエネルギーの余剰分は、成長か、生殖（再生産）に用いられることになる。そのどちらにも使われなかった場合、余分なエネルギーは浪費される。人間の生産活動においては、このジレンマは次の形態をとる。利用可能な資源（つまり労働）の大部分を、新しい生産手段を作るために用いるか――それが資本主義経済（富の貯蓄や増大）である――、あるいは、生産力の向上を追求せずに余剰分を浪費するか――こちらは祝祭の経済である――のどちらかとなる。

このように、「余剰」の異なる使用法がふたつの対立する態度を生み、バタイユの議論は必然的に、「人間の価値」や「時間」のテーマへつながっていく。

前者の場合、人間の価値は生産力によって決まる。しかし後者の場合、人間の価値は芸術のもっとも美しい成果や詩情、人間としての生の充実に結びつく。前者の場合、「現在」を従属させる「未来」にしか関心は払われない。後者の場合は、いま、この瞬間だけが重視される。後者の生は、生産の増大に没頭する世界にはびこる奴隷のような考えから、すくなくとも時おりは、可能なかぎり解き放たれるのだ。

バタイユが言うように、「こうしたふたつの価値体系は、混じり気のない状態では存在できない」。なぜなら、「つねに、多少なりとも、ふたつの要素が相半《あいなか》ばする状態になる」からである。こうした点を踏まえつつ、「有用性の限界」を乗り越えるうえで「浪費」や

「余剰」が重要な役割を果たしてきた歴史について、バタイユは具体例を交じえながら解説している。アステカ文明や、北米の先住民が実践する贈答の儀式「ポトラッチ」に見られる贈与の文化(「浪費の経済」について伝える雄弁な証拠)を根拠に、バタイユは「栄誉ある行動」という概念を打ち立てる。

アステカの商人の「栄誉ある行動」について語ってきたことは、西洋の非人間的な文明が依拠している有用性の原則に、異議を申し立てるものである。わたしは、これまであまり知られていなかった事実の分析にもとづき、経済史の新しい〈顔〉を描くつもりである。「有用な行動」なるものが、それ自体としては無価値であると示すのは、簡単なことだろう。わたしたちの「栄誉ある行動」だけが人間の生を決定づけ、その値打ちを示すのである。

人類学的な解釈にもとづき、戦争や宗教的な供犠《くぎ》をも「栄誉ある行動」に含めて考えるバタイユの姿勢(「わたしは、戦争と、儀礼の供犠と、神秘的な生には等価の関係があることを示そうと思う。これは〈恍惚〉と〈恐怖〉の戯れであり、ここで人間は天の戯れと一体になるのだ」）には、少なからぬ批判が寄せられている。その点は措《お》くとしても、無私の精神から行われる「自己の贈与」のうちに、反‐実利主義的な生の概念を見てとろうとするバタイユの努力は、やはり注目に値する。「公共の利益」にたいする「完全な無関心」が大手を振る資本主義の文脈において、「浪費の法則」は果敢にも、「客観的な物差しで計ることのできない生の運動」だけに照準を合わせようとする。だが、生産や蓄積を増大させるかわりに有用なエネルギーを蒸発させてしまうような事態を避けるために、資本主義が「祝祭の浪費」や「それと似たようなむだ遣い」を放棄するよう人間に求めたとき、「余剰」の栄誉あるロジックは衰退の坂をくだりはじめた。人間はこの「余剰」を失うことで、無私と贈与が生にもっとも人間的な意味をもたらしていた文明の価値を見失った。

バタイユは、「役に立つこと」という呪わしい観念を槌《つち》で打ち砕きながら、今日のわたしたちには預言のようにも聞こえるフレーズを書きとめている。「有用性の感覚しかもたない統治者は、破滅の道をたどる」

8章　大学の「職業専門学校化」に抗して――ジョン・ヘンリー・ニューマン

大学をめぐるジョン・ヘンリー・ニューマンの講演は、教育がもつ普遍的価値を熱を込めて擁護《ようご》する内容になっている。その講演が収められた『大学で何を学ぶか』では、一部の人びとのあいだでは当然の前提となっている「大学教育は役に立つべきである」という発想が、根底から問いなおされている。

一部のお偉方はこう主張します。曰《いわ》く、「教育」の内容は特定の限られた目的に限定されるべきで、重さとか大きさとか、測定可能なはっきりとした成果を収めるものでなければならない、と。この人たちは、人間にも物にもすべてに値段があるかのごとく、大きな出費をしたらかならずそれに見合うだけの見返りを期待する権利があるのだと主張します。これは「教育」の「有用化」と呼ばれていて、「役に立つこと」

が彼らの合言葉となっています。この種の根本原則にもとづき、この人たちはごく自然に、次のように問いかけます。大学の出費の見返りにはなにが用意されているのか、そして、「一般教養教育《リベラル》」と呼ばれる商品の市場での真の価値はどこにあるのか［……］。

ニューマンにとっては、「役に立つことのほかは追い求める価値はなく、いかに興味深く、ものめずらしく、素晴らしくとも、些事《さじ》にかまけていられるほど人生は長くはないという主張」はまったくの誤りである。同じように、こうした主張から導き出される結論、「世俗的な職業とか、機械的な技術とか、物質界の秘密とかを教える教育でなければ役に立たない」という考えもまた、完全に間違っている。

教育の商業化、経済化に対抗するために、ニューマンは「知識そのもの」の大切さを強調する。だが、だからといってニューマンは、職業訓練とはかかわりのない自由な学びや、知識のために知識を得ようとする営みが、ある種の「有用性」を学生にもたらすことは否定していない。大学での学業を終えるとき、学生はそこからさまざまな利点を引き出すだろう。

さて、「知識」はそれを超えたなにものかに到達するための手段であり、自然のために用いられる技芸の原型であると申しあげました。さらに知識は、知識そのもののために存在し、追求するに足る目的でもあると言ったとしても、わたしはけっして矛盾したことを主張しているわけではありません。わたしがここで言っているのは、誰にとっても理解できるはずのことなのです［……］。知識を所有することで、知識そのものを超えた利益がわたしたちにもたらされ、その利益が他人まで広がっていくということを否定する気など、わたしには毛頭ありません。

知識とは、「たとえ使用される機会がなく、いかなる具体的な目的にも役立たないとしても」、それを獲得した人物の精神を養い、けっきょくは利益をもたらすのである。

大いなる善は大いなる善を産みだします。ですから、もしわたしたちの誰かがきわめて卓越した知性を有していて、それをじつに見事に育《はぐく》むことができたなら、［……］その知性は所有者にとっても、その周りにいるすべての人びとにとっても、役に立つに違いありません。次元の低い、機械的、商業的な意味において役に立つというのではなく、まずその所有者にとって、次いで所有者を通して世界に広まる善として、祝福として、賜物《たまもの》として、力として、宝として役に立つのです。

このように、ニューマンにとって――彼の言葉に透けて見える神学上の問い、宗教的な緊張感とは独立した形で――「幅広い文化的な知を育むこと」は、「職業的、科学的研究」に先立つ営みである。そこには、「教育のある人は、そうでない人たちにはできないことができる」という確信がある。

9章　過去の言語はなんの役に立つのか？――ロックとグラムシ

いまの時代、ニューマンの情熱的な言葉に共感を覚える読者が、はたしてどれだけいるだろうか。実利主義のロジックが、学校や大学の教育課程をも無慈悲に侵蝕《しんしょく》している現状を考慮するなら、おそらく、ニューマンの見解に賛同する者はごくわずかだろう。わたしたちはますます、次のような問いかけを耳にすることが多くなっている。もうこの世界で話されていない言語、そしてとりわけ、仕事を見つけるうえで役に立たない言語を、どうして学校で学ばなければならないのか？

教育コンサルタントの貧相な議論のなかで、ロック（第1部17章参照）の言葉が息を吹き返したように見える（公正を期するために言い添えるなら、この英国の哲学者は、紳士《ジェントルマン》を育てるうえでは、やはりラテン語の習得が必要であるとも言っている）。

息子に商業をやらそうと思っているのに、ローマ人の言葉を習わすために、父親が自分の金と息子の時間を浪費しているほど滑稽《こっけい》なことがほかにありましょうか。しかもこの父親はといえば、商業にはラテン語はまったく必要ありませんので、学校で習ってきた少しばかりのラテン語はかならず忘れているものですし、またラテン語のために彼が受けたひどい仕打ちのために、十中八九はラテン語が大嫌いなのです。

極端な実利主義から引き出されたこのような文章を読んだあとで、一九三二年にアントニオ・グラムシが『獄中ノート』の胸を震わせるページに書きとめた、ラテン語とギリシア語の学習の意義を訴える痛切な言葉に触れたら、今日の読者は口もとに微笑を浮かべずにはいられないだろう。

アテネとローマに象徴されるヒューマニズムの理念が社会全体に行きわたり、国民の生活と文化にとって不可欠な要素となっていたため、旧来の学校においては、ラテン語とギリシア語の文法学習が、それぞれの文学と政治史の学習と並んで、教育の原則であった。[……]個々の知識は、実践的 - 職業的なわかりやすい目的のために学習されるのではなかった。むしろ、この目的には関心が示されなかったようだ。というのも、かつての教育が目指していたのは、人格の内的な発達だったからである[……]。

生徒たちは、ラテン語やギリシア語で会話したり、ウェイター、通訳、あるいは商業通信員になったりするためにこれらの言語を学ぶのではなかった。われわれの近代文明に必要な前提条件としてのギリシア、ローマ文明を直接知るため、すなわち、自分自身になるため、自分自身を意識的に理解するために、生徒たちはこれらの言語を学習したのである。

ヨーロッパ各国で多くの声明が発表され、フランスやイタリアでは、古典語の擁護に捧げられた数々の出版物が刊行されている。これらは、抵抗する大学研究者や闘う知識人ら、輝ける少数派による貴重な仕事である。それにもかかわらず、古典語教育の衰退はもう、誰にもとめられないように見える。学生は、わかりやすい見返りや即時の収入をもたらさないコースの履修を、ますます敬遠するようになっている。徐々に進行するラテン語やギリシア語への「愛想尽かし」は、わたしたちの知を養ってきたかけがえのない文化を、決定的に抹消する未来を招きよせるだろう。

フランスの作家ジュリアン・グラックは、二〇〇〇年二月五日付の「ル・モンド・デ・

リーヴル」に寄稿した文章のなかで、教育現場における「コミュニケーション」の隆盛を嘆いている。ラテン語のような「役に立たない」言語を犠牲にして、英語による他愛もないコミュニケーションを教えるために多くの時間が割かれるようになっている。

かつて学校の児童は、母語のほかにはただひとつの言語を、すなわちラテン語を学んでいた。死語として学んでいたのではない。文学という薄膜《はくまく》によって濾過《ろか》された言語は、他に類を見ない芸術的な「刺激《スティムルス》」だった。いまではかわりに、生徒たちは英語を学んでいる。「国際語」としての理想を実現したエスペラント語として、英語を学んでいる。それは、他愛もないコミュニケーションを実現するための、もっとも快適な近道である。英語は缶切りか、どんな扉も開けられるマスターキーのようなものと見られている。新旧の世代のあいだには、重大な帰結をもたらさずにはいない大きな溝がある。その溝は、かつてマルセル・デュシャン〔二十世紀フランスの芸術家。実験的な作品を数多く残した〕が考案したドアを思わせる。ある部屋に入るためにドアを開けると、必然的に、もうひとつの部屋に入るための入り口が閉まってしまうのだ。

このままラテン語やギリシア語の講義を履修する学生の減少傾向が続くのなら、教員の人件費の問題を解決する道はひとつしかない。講義を廃止すること。同じ議論はサンスクリット語や、そのほかあらゆる古典語に当てはまるだろう。

一部の学部・学科では、文献学や古文書学のような科目まで危機にさらされている。そう遠くない未来、最後の文献学者、最後の古文書学者、最後の古典学者が年金生活に入ったとき、わたしたちの社会は図書館も博物館も閉館しなければいけなくなるだろう。考古学の発掘現場は閉鎖され、過去の文書や資料の再構築は放棄されるだろう。こうしたことすべては、当然ながら——ごく最近、フランスの詩人イヴ・ボヌフォワが、ラテン語と詩を擁護する力強い文章のなかで書いていたように——民主主義の行く末に破滅的な帰結をもたらすだろう。イタリアの古典学者ジョルジョ・パスクアーリが強調するとおり、「自由」もまた、危機に瀕している概念のひとつである。パスクアーリによれば、文書の真正さを取り戻すための文献学の作業は、真実と自由がたがいに支え合うことで実現するのだから。

この調子で歩みつづければ、油汚れをスポンジでふきとるように、きれいに記憶が消し去られ、社会全体が健忘症に陥るだろう。こうして、ギリシア－ローマ神話におけるあらゆる技芸と英知の母、「記憶」の女神ムネモシュネは、永久に地上を離れることを余儀なくされる。そして、現在を理解し未来を想像するために過去を問いなおそうという欲求は、女神とともに、人類のあいだから消えてなくなる。みずからのアイデンティティや、みずからの歴史にまつわる感覚を完全に見失った、記憶喪失の人類が到来するのだ。

10章　古典の計画的消滅

このような背景のもと、哲学や文学の古典は学校でも大学でも、年を経るごとに居場所を失いつつある。学生たちは、西洋文明の基礎を打ち立てた偉大な文章の全体像に触れることなく、高校や大学で何年もの歳月を過ごしている。現代の学生の脳を養っているのは、もっぱら概説、アンソロジー、入門書、手引き、要約など、「教育的」という名のもとに解釈を押しつけてくるテキスト全般である。アリオスト、ロンサール、プラトン、シェイクスピアの原典を読みふけるかわりに——そんなことをしようと思えば、際限なく時間が奪われ、背景の文化や言語について学ぶために途方もない努力を費やす羽目になるだろう——近道を選ぶように急《せ》き立てられる。名作の「触り」だけを集めた数々のアンソロジーが、雪崩《なだれ》を打って出版市場に押し寄せている。

学校教育をめぐる不愉快な政治学は、出版社の刊行計画にまで、取り返しのつかない仕方で影響を与えている。イタリアでは、古典を収録した歴史ある叢書《そうしょ》が、ひっそりと縮小を続けてきた。ラテルツァ社〔一九〇一年、南伊のバーリで創業された出版社〕の「イタリアの作家」叢書（ベネデット・クローチェが創刊したシリーズ）、モンダドーリ社〔一九〇七年、北伊オスティリアで創業された出版社〕の「古典」叢書、リッチャルディ社〔一九〇七年、南伊ナポリで創業された出版社〕の「イタリア文学」叢書、そして数年前からはＵＴＥＴ〔一八五四年、北伊トリノで創業された出版社〕の歴史あるシリーズもまた、この流れに続いている。フランスでは、名門のレ・ベル・レットル社〔一九一九年、パリで創業された出版社〕が必死に時勢に抵抗しているが、ラテン語やギリシア語作品の批評校訂版を実現するための協力者を見つけてくることは、ますます難しくなっている。イギリスの由緒あるふたつの叢書、「ローブ・クラシカル・ライブラリー」と「オックスフォード古典叢書」もまた、同じ問題に苦しめられている。ヨーロッパのほかの国々では、資金の回収が見込めない古典作品の刊行計画に、出版社が難色を示すのがお約束になっている。こうした事態が進行するかたわらで、初学者向けの「補助的な」文学が際限なく増殖していく。

哲学、詩、美術史、音楽への情熱が、教科書や手引きを読むことで湧きあがることは滅多にない。たんなる「代替物《だいたいぶつ》」だったはずのものが、いつしか「本物」の地位を占めるようになるだろう。要するに、古典の文章《テスト》の抜粋が、少ない時間と労力で文学を学ぶための言い訳《プレテスト》として利用されているのである。

それでも、どのような形であれ、古典を抜きにした教育などというものは考えようがない。教師と教え子の出会いはつねに、出発点となる「文章」を前提としているからである。古典の文章にじかに触れないことには、学生が哲学や文学を愛するようになるのは難しい。同様に教員もまた、教え子の熱意と情熱をかき立てるために、もてる資質を最大限に発揮するには、ともに読み進める古典を必要としている。教育課程から古典が姿を消せば、書かれた言葉と人生を結びつける糸が完全に断ち切られ、若い読み手は、人類の声をどうやって聴きとればよいのかわからないまま社会に放り出される。ほんとうなら、自分たちを養った書物の大切さを、人生がゆっくりと時間をかけて教えてくれるよりも前に、一足先に学校で学ぶことができたはずなのに。

古典から抜粋された引用句を味わうだけでは、じゅうぶんとは言えない。アンソロジーには、作品全体を読んだときに呼び起こされる反応を引き出す力はない。そして、学生が古典に近づいていく過程において、教員はきわめて重要な役割を果たす。偉大な研究者の伝記や自伝には決まって、高校や大学で出会った教員の思い出が綴《つづ》られている。専門分野への関心を決定的なものにするのは、往々にして、人（師）との「出会い」なのである。教員の魅力やカリスマ性に後押しされて、特定の分野へのめりこむようになるというのは、わたしたちの多くが共有している経験である。

事実、教育はつねに、ある種の「誘惑」として機能している。人になにかを教えるという営みを、たんなる「職業」と見なすべきではない。むしろ、教員と呼ばれる人びとは、言葉のもっとも高貴な意味において、正真正銘の「天職」に従事しているのである。修道士が、なんらかの使命を果たすよう神から召し出されるのと同じように、教員もまた、果たすべき使命を負っている。だからこそ、ジョージ・スタイナーは、「悪い教育は、文字どおり殺人的であり、罪悪そのものである」と書いている。「貧弱な教育、ルーチンと化した形式的な授業、あるいは〈役に立つこと〉のみを目的とした教育は、悲惨な破壊行為にほかならない」。知への情熱と愛から切り離して、教師と教え子の真の出会いについて語ることはできない。ドイツの哲学者マックス・シェーラーは、自著の冒頭でゲーテの次のような言葉を引いている。「人は自分が愛するもののほかは、なにひとつ学び知ること はない。そして、いっそう深く、いっそう完全な知を得ようとするなら、愛、むしろ情熱もまた、いっそう強く、力にあふれ、生き生きとしていなければならない。だが、わたしたちの導きの糸である愛と情熱をつかみとるには、いずれにせよ、「無私」と「無償」の精神が必要となる。これらの条件がそろってはじめて、師や古典との出会いは、学生や読者の人生をほんとうの意味で変えることになるだろう。

12章　脅威にさらされる図書館――ヴァールブルク研究所の危機

残念ながら、企業のロジックは、世界的な名声を誇る図書館や研究所まで危機に陥れている。示唆に富む例をひとつだけ挙げるとするなら、世界でもっとも重要な人文学研究所のひとつ、ヴァールブルク研究所が真っ先に思い浮かぶ。その蔵書（約三十五万冊）や視覚資料（約四十万点）の豊富さはもちろん、ヨーロッパ文化に果たしてきた役割という意味でも、この研究所は比類のない重みを有している。そのことを理解するには、研究所の特異な性質、一冊の書物を思わせる構造（蔵書の配架）について考えてみるだけでじゅうぶんだろう。ここではすべての蔵書が、正確な論理にもとづいて書棚に並んでいる。アビ・ヴァールブルクとその高名な友人たちの思想に合致させるべく、さまざまな知が統一的に結びつくよう配慮されているのだ。この図書館の利用者は、自分が探していた書物のかたわらに、類似の、あるいは隣接のテーマを扱った（まさに自分の研究に必要となるような）一連の書物が並んでいるのを発見して、驚きに打たれるに違いない。

ナチズムの蛮行から逃れるために、図書館は一九三四年にロンドンに移設され、一九四四年にはロンドン大学の附属施設となった。ウォーバーン・スクエアにたたずむこの研究所は、二十世紀を通じて、偉大なルネサンス研究者を迎え入れてきた。そのなかには、エルンスト・カッシーラー、ルドルフ・ウィトコウアー、エルンスト・ゴンブリッチ、エルヴィン・パノフスキー、フリッツ・ザクスル、マイケル・バクサンドール、フランセス・イエイツ、エドガー・ウィント、ポール・オスカー・クリステッラー、カルロ・ディオニソッティ、ジョヴァンニ・アクイレッキア、アンソニー・グラフトンなど、錚々《そうそう》たる顔ぶれが含まれる。

だが、ルネサンス研究に唯一無二の貢献を果たしてきた輝かしい歴史や、その蔵書が秘める計り知れない価値にもかかわらず、研究所の生命は何年も前から危機にさらされている。管理コストを大胆に削減するため、大学の上層部が計画している複数の研究機関との合併案が、ヴァールブルク研究所の独立性を脅かしている。さいわい、創業者の一族とロンドンの学術界が交わした協定書のなかでは、図書館と研究所は不可分であることが強調されている。それにしても、歴史の皮肉とはこのことかと思わされる。書物を購入する自由と引き換えに、みずからの遺産の取り分を放棄した裕福な銀行家の息子（アビ・ヴァールブルク）のおかげで生まれた図書館が、いま、もっぱら経済的な事情から窮地に立たされているのである（経済界の面々はこう問いかけてくる。「ロンドンの中心部に立つこの建物を〈生産的な〉活動に振り向ければ、いったいどれだけの利益が見込めるだろう？」）。目下のところ、両陣営は停戦状態にあるが、ヴァールブルク研究所のメンバーは警戒を解いていない。闘いは終わっておらず、対立が再燃する可能性はつねにあることが、よくわかっているからだ。図書館は勝利するだろうか？　それとも、商業と利潤のロジックが、研究者の抵抗をなぎ倒すのか？

書物の生にたいする無関心は、いまではいたるところに広がっているように見える。二〇一二年八月、「イタリア哲学研究所」の約三十万冊の蔵書がナポリ郊外の倉庫に移送されるというショッキングなニュースが、イタリアのニュース番組や新聞の紙面を賑わせた。所長で弁護士のジェラルド・マロッタは、段ボール箱がトラックに運びこまれるあいだ、行政に向けて非難の言葉を並べたてた。偉大な書物の遺産が研究所から遠く離れた土地に移送されるという事態を前にしても、州や県の研究機関は無関心を決めこんで、指一本動かそうとしなかった。同時期、やはりナポリにて、十七－八世紀の哲学者ジャンバッティスタ・ヴィーコが通ったことでも知られる、由緒あるジロラミーニ図書館が窃盗の被害にあったと報じられた。たいへんな価値をもつ書籍や手稿が姿を消し、関係者はショックのあまり言葉を失った。

はたしていまの政府に、かつてベッサリオン枢機卿が記したような言葉を語れる人物はいるだろうか？　ヴェネツィア総督クリストフォロ・モーロに宛てた一四六八年五月三十一日付の書簡のなかで、ベッサリオン枢機卿は自身の重要な蔵書（四百八十二冊のギリシア語書籍と、二百六十四冊のラテン語書籍）をヴェネツィアに遺贈する意志を伝えたうえで、次のような胸を打つ言葉を書き連ねている。

書物は、賢者の言葉、古代人の生き方、習慣、法、宗教で満ちています。古代の書物はわれわれとともに生き、議論をし、語り合い、われわれに教え、訓育し、慰め、われわれの記憶からきわめて遠いものを目の前に見せてくれます。書物の威信、尊厳、すなわち神聖さはきわめて大きいため、書物がなければわれわれはみな粗野《そや》で無知で、過去の記録も生の手本ももたないでしょうし、人間や神にかんしてのいくらかの知識も保持せず、遺体を迎え入れる墓地そのものすら、人間についての記憶を消し去ってしまうでしょう。

13章　歴史ある書店の退場

だが、破局の連鎖はまだとまらない。書店のアイデンティティもまた、市場の要請によって形《かた》なしにされている。重要な研究書や文学作品にいつでもアクセスできる、歴史ある出会いの場だった書店が、咲いたとたんに散ってしまうあだ花のような、いっときの流行を追いかけるだけの「箱」と化しつつある。パリを例に挙げるなら、ソルボンヌそばにあったＰＵＦ（フランス大学出版局）の書店や、サン・ジェルマン・デ・プレの伝説の書店「ディヴァン」を忘れるわけにはいかない（かつて「ディヴァン」が入居していた建物は、過去数十年にわたって、書店よりも多くの利益を生み出すテナントによって利用されていたが、ごく最近になって「ラ・ユヌ」書店がここに移転し、建物に書物が戻ってきた）。多くの書店は、深い教養を求める読者に背を向け、古典の在庫をみるみる減らし（大手書店チェーン「ＦＮＡ

C」の売り場を思い浮かべてみるといい）、メディアのキャンペーンに後押しされた新刊本で書棚を埋めつくしている。イタリアでも、まったく同じ状況が認められる。多くの歴史ある書店が姿を消していくなか（たとえばナポリでは、「トレヴェス」書店が閉店するという報《しら》せを受けて抗議運動が展開された）、巨大チェーンは市場のロジックに適応すべく全力をあげる。

　孤軍奮闘する少数の書店においてのみ、読者はいまも、基本的な文献を気軽に手にとることができる。そうした書店もまた、ごくわずかな例外を除き、かつてのように、小説や研究書との貴重な出会いを提供する力は失っている。大手取次の意向により選択の自由が制限され、品質は二の次の商業的な出版物が押しつけられる。いまの書店員にはもう、「質」を本質的な価値と見なす余裕はない。責任を剥奪された書店員はたんなる雇われ人であり、スーパーマーケットの店員と同じように、店内の商品をひとつでも多く売ることがその主たる業務となる。

14章　役に立たないと思われていた科学が、思いがけず役に立つこともある

ここまでわたしは、文学や哲学の「役に立たないことの有用さ」についてあれこれと語ってきたが、どうか誤解しないでいただきたい。人文学（文系）の知と自然科学（理系）の知の不毛な対立に火をつけようなどとは、わたしはまったく考えていない（こんなことを書くのは、同じ職場に勤めている理系の教員に気を遣っているからではもちろんない……）。わたしの意図は、むしろその正反対である。文系の知と理系の知が果たす機能の違いは重々承知したうえで、わたしはやはり、次のように確信している。科学もまた、市場や金もうけの法則に抵抗する闘いにおいて、重要な役割を担ってきたのだ。一見したところ役に立たないように思える科学、すなわち、具体的かつ実践的な目的に結びついていない科学が、思いもかけず役に立つことが判明するという例は、科学の歴史からいくらでも拾い

出してくることができる。ジェームズ・クラーク・マクスウェルとハインリヒ・ルドルフ・ヘルツの電磁波をめぐる研究がなかったら、グリエルモ・マルコーニがラジオを発明することはなかった。これは強調に値する事実だが、マクスウェルやヘルツの研究は、純粋に理論的な好奇心を満足させるためにのみ行われた。エイブラハム・フレクスナーによる、このテーマに捧げられた素晴らしいエッセイ（『「役に立たない」科学が役に立つ』）を一読すれば、ガリレオやニュートンのような天才が、「役に立つこと」や利潤にとらわれることなしに、どのようにして好奇心を養ったのかがよくわかるだろう。実際、人類の歴史を変革した根本的な発見の大部分は、実利主義的な目的とは無関係に行われた研究の成果なのだ。

この分野でも、年を経るごとに深まる国家の無関心がたたって、大学や研究所は私企業や多国籍企業に資金援助を要請せざるをえなくなっている。当然ながら、そのような援助のもとに行われる研究は、市場に送り出すべき製品や、出資した企業の内部で利用できる製品の開発を目的とする。こうした企業の支援もまた、科学が進歩するうえで重要な役割を果たしていることは事実だろう。だが、偉大な科学革命を可能にしたプリンストン研究所についてフレクスナーが語っているような、「自由の気風」のもとに行われる研究からは、大きく隔たっていると言わざるをえない。かつては公的資金が支えていたいわゆる「基礎研究」には、もはや誰も関心を払っていないように見える。

ここ二、三十年で科学分野における不正や捏造《ねつぞう》が急増している事実も、こうした背景を踏まえて考えれば理解しやすくなる。ごく最近、アルベルト・アインシュタイン医学校のアルトゥーロ・カサデヴォール博士は、この問題について告発するレポートを発表し、不安をかき立てずにはいない数字を伝えている。博士によれば、二〇〇七年だけで、論文百万本につき九十六本が、不正のために撤回されているという。こうした傾向を生みだしている主たる要因のひとつが、生物医学の研究にさまざまな条件を課してくる経済的な関心である。一九九八年、イギリスの一流医学誌「ランセット」に、アンドリュー・ウェイクフィールドの「反ワクチン論文」が掲載された一件は、忘れようにも忘れられない。著者にたいしては、科学的、財政的な面から重大な利益相反があるという批判が寄せられ、「ランセット」はのちに論文を撤回した。

15章　「定理」からなにが得られるのか？――エウクレイデスとアルキメデス

古代世界が、純粋に理論的な（それゆえに「無私」な）科学と応用科学との違いに意識的であったことは、アリストテレスの言葉だけでなく、広く流布《るふ》した著名な科学者の逸話《いつわ》や伝記からもうかがい知れる。そのひとつが、ギリシアの著述家ストバイオスが伝えている、数学者エウクレイデス〔ユークリッド〕のエピソードである。あるときエウクレイデスは、第一の定理を学んだ教え子から次のように質問された。「それで、この定理からなにが得られるのですか？」この問いに答えるために、エウクレイデスはひとりの奴隷を呼び寄せ、その教え子に硬貨を与えるように命じた。「この生徒は、学んだことには見返りが必要だと思っているらしいからね」

あるいは、プルタルコスの『英雄伝』をひもとくのもいいだろう。そこには、いわゆる「応用力学」にたいして、アルキメデスが深い軽蔑を抱いていたことが記されている。この偉大な数学者は、技術と結びついた問題について書き残すのは、科学者にとって不名誉なことだとさえ考えていた。

アルキメデスは深く繊細な思考の持ち主で、おびただしい数の理論をものにしていた。その発明は、人間よりむしろ神の御業《みわざ》だとする声も多かったが、それについてはなにひとつ書き残そうとは思わなかった。機械にかんすることやあらゆる技術は、実践と結びついた必要性を目指す卑賤《ひせん》なものであると見なし、必要ということを交じえない、ただひたすら美しく高貴な学問、質料〔形をもたない材料が形をもつことで成り立つもの〕に対抗する可能性を証明にもたらす、ほかとはくらべようのない学問にのみ注力していた。

複数の著名な科学史家が過去に指摘しているとおり、プルタルコスの記述をそのまま真に受けるのは禁物だろう。力学（実用的な）にたいするアルキメデスの関心は、彼の著作や、その名高い発明品の数々が、具体的な形で証言している。おそらく、ギリシアの哲学者プルタルコスが描いたアルキメデスの人物像には、プラトン主義のフィルターがかかっている。それでも、『英雄伝』に記されたこの一節は、（無私の）理論と技術の違いを、古代人がはっきりと認識していたことの証拠と言える。

16章　ポアンカレ――科学が「自然を研究する」のは「役に立つ」ためではない

理論と技術というテーマについては、フランスの数学者であり認識論学者であるアンリ・ポアンカレもまた、多くの重要な指摘を残している。一九〇四年に刊行された『科学の価値』のなかでポアンカレは、「頭の固い実際家」と「自然への好奇心に満ちた人びと」を明確に区別している。前者は金もうけのことしか考えないのにたいし、後者はなによりも「知ること」を欲し、そのためにはどんなふうに探求を進めればよいのかを理解しようとする。「数学はなんの役に立つのか」という問いを提示すれば、ふたつのグループの態度の違いは明白となる。

数学はなんの役にたつのか。数学というこの精巧な構築物は、なにもかもわたしたちの頭から引き出されたものなのだから、それは人工的なものであり、わたしたちの気まぐれの産物ではないのか。おそらく、読者のみなさんも、たびたびこうした質問を受けたことがあると思う。

こうした疑問を投げかける人びとのことは、しっかり区別しておかなければならない。実際家はただたんに、わたしたちから金もうけの手段を要求するばかりである。この人たちに返事をしてやる必要はない。むしろ、こちらから問い返してやる方が適切だろう。そんなにも多くの富を蓄積するのは、いったいなんのためなのか。また、そうした富を享受して、それを楽しめるようにわたしたちの魂を育ててくれるのは芸術や科学だけなのに、富を得ることにばかり時間を費やしているせいで、これら芸術や科学をなおざりにしているのではないか。あなたたちは、生きようと欲するあまり、生きる目的を失っている（エト・プロプテル・ウィータム・ウィウェンディー・ペルデレ・カウサース」のではないか、と。

ここでポアンカレが引用しているのは、古代ローマの諷刺《ふうし》詩人ユウェナリスの有名な六脚詩《ヘクサメトロン》（「生きのびようと望むあまり不名誉を受け入れ、生きようと欲するあまり生きる目的を失うのは、人道にもとる最大の罪と見なすべきだ」）である。生きる価値をないがしろにし、（実利的な観点から）ただ命を長らえさせることを優先する人びとを、ポアンカレは痛烈に批判している。徳を欠いた生、原則を欠いた生は、もはや生とは呼べない（ユウェナリスの同じ詩行は、ポアンカレとはまた別の文脈で、カントやラカンも引用している）。ポアンカレの考えによれば、「応用だけを目指して科学を作ろうとしても、それは不可能である」、なぜなら、「真理というものは、たがいに鎖のようにひとつなぎになっていなければ、実り多きものにはならないから」。そして、「即座の結果が期待されるような真理にばかりこだわっていると、途中の輪が欠けてしまい、鎖そのものがなくなってしまうだろう」

しかし、ポアンカレは「頭の固い実際家」のとなりに、「たんに自然にかんして好奇心があるだけの人びと、自分たちに自然の姿をよりよく知らせるために、数学者にはなにができるのかと問いかけてくる人びと」を並置している。ポアンカレはこうした人たちに向けて、数学はどんなことに役立ちうるのかを説明しながら、誠実に回答しようとしている。

数学は三重の目的をもっている。第一に、数学は自然を研究するための道具を提供しなければならない。だが、それがすべてではない。数学には哲学的な目的があり、誤解を恐れずに言うならば、美的な目的があるのである。数学は、哲学者が数・空間・時間の観念を深く究《きわ》める手助けをしなければならない。さらに、数学の達人ともなると、絵画や音楽がもたらすのと同じような喜びを、数学のうちに見いだすのである。

数学者は「数と形の微妙な調和に感嘆し、新しい発見によって思いがけない見通しが開けると驚きに打たれる」。たとえ、「感覚にはなんのかかわりもなかったとしても」、数学者が感じているこうした喜びは美的な喜びと重なり合う。このような理由から、「数学はそれ自体のために研究される価値があり、物理学に応用される見込みがない理論も、応用される可能性がある理論と同じように研究すべき」である。要するに、ポアンカレに言わせれば、「仮に、物理学的目的と美的目的とのあいだに堅い結びつきがなかったとしても、わたしたちはこのふたつのどちらも犠牲にしてはならない」

「言語の創造」という観点から、数学者と作家（文学者）の対比も論じられている。「作家は言語を美化し、またこれを美術品のように取り扱う。同時に、言語をさらに柔軟な、思想のニュアンスを表現するのにより適した道具に仕立てあげる」。同様に、「［数学の一分野である］解析学の専門家は、純粋に美的な目的を追求することで、物理学者をより満足させるに足る言語の創造に貢献している」

一九〇七年にニューヨークで翻訳が刊行された『科学の価値』の序文は、一九〇八年にフランス語の原書が出た『科学と方法』に再録された。ポアンカレはそのなかで、「役に立つこと」というテーマにあらためて取り組んでいる。ロシアの文豪レフ・トルストイの科学をめぐる考察から、ポアンカレの議論はスタートする。

トルストイにとって「有用性」という言葉が意味するものは、世の実業家や、わたしたちの同時代人の大部分がこの言葉に与えている意味とはまったく異なる。工業への応用、電気や自動車製造の驚異というものには、彼はほとんど関心がない。むしろ、そうしたものは道徳的な進歩の障害になるとさえ考えている。トルストイにとって「有用な」ものとはもっぱら、人間をより良く導く可能性があるものを指す。

もし、わたしたちの選択が、「たんなる気まぐれか、あるいは目の前の有用性によってのみ決まるなら、科学のための科学は存在せず、したがって、科学そのものも存在しない」。目先の応用ばかりを考えて働く者は、「後世にはなにひとつ残していかない」

だが、もし、世の中に「実際家」しかいなかったらどうなっていただろう？　もし、実際家に先立って、貧窮のうちに没した無私の熱狂者がいなかったら、利潤のことなど考えず、みずからの空想のほかになんの導きもないこうした人びとがいなかったら、工業の勝利がかくも多くの実際家に富をもたらすことはなかっただろう。これはじつに見やすい道理である。

実際家と科学にたずさわる人びと（「無私の熱狂者」）が、同じ問題にたいしてどんな向き合い方をするか例示することで、ポアンカレはふたつのグループの違いを際立たせている。「曲線上に散らばる点をいくつか観測して、もとの曲線を復元する場合を考えてみよう。目先の有用性にばかり気をとられる実際家は、なんらかの特定の目的に必要となる点を観測するだけで満足し、その先へ進もうとはしないだろう」、他方で、「科学に従事する人間は、曲線そのもののために曲線を研究しようと欲するのだから、観測された点を規則的な手法で分類し、観測データがある程度蓄積されるなり、規則的な線で点と点を結びつけ、こうして完全な曲線を得るだろう」

科学にたずさわる人間は、「観察すべき事柄を行き当たりばったりに選択している」わけでもなければ、実利主義的な目的のために自然を研究しているわけでもない。

科学者が自然を研究するのは、その研究が役に立つからではない。自然を研究するのは、それが楽しいからであり、研究が楽しいのは、自然が美しいからである。自然が美しくなかったなら、それは苦労して知るだけの価値をもたないだろうし、わたしたちの人生も生きるに値しなくなるだろう。もちろん、わたしが言いたいのは、感覚（五感）を通じて把握する美しさ、外見上の美しさのことではない。その種の美を軽蔑するわけではけっしてないが、しかし、それは科学とはなんの関係もないのである。そうではなく、ここでわたしが念頭に置いているのは、各部分の調和ある秩序から生じ、純粋な知性によって感知される、深く内面的な美のことである。これこそが、感覚を喜ばす虹色の幻に形体《けいたい》を、いわば骨組みを与えるのである。この支えがなかったら、はかない美の夢は、不完全なものでしかありえないだろう。なぜなら、美の夢は曖昧《あいまい》で、つねに逃れ去ろうとしているから。

科学者は、「それ自体で完成している知的な美」を見つめる技術を身につけなければならない。科学者はこの美のために、「おそらくは、人類の将来の幸福のためよりもむしろこの美のためにこそ、長く苦しい研究に身を捧げる」。このような、熱意にあふれる無私の努力を抜きにしては、より良い社会、より良い個人を想像することなどできはしない。

17章 「知識とは、それを誰かに渡しても、自分が貧しくならない財産である」

科学や、学校や、大学だけでなく、わたしたちが「文化」と呼ぶものすべてを実利主義の漂流から救い出すためには、これから先も長いあいだ闘いつづける必要があるだろう。教育、科学研究、古典、文化財の計画的な解体に、わたしたちは抵抗しなければならない。文化と教育を損なうことは、人間の未来を損なうことなのだから。何年か前、かつてオアシスがあった場所に立つサハラ砂漠の文書館を訪ねたとき、建物に掲げられたパネルに、シンプルだがじつに示唆に富む言葉が刻まれているのを見つけた。「知識とは、それを誰かに手渡しても、自分が貧しくなることのない財産である」。利潤という支配的な論理を骨抜きにできるのは、知識だけである。知識を分け合っても、誰も貧しくなることはない。それどころか、知識を与える者と受けとる者は、ともに豊かになるのである。

第3部　所有することは殺すこと——人間の尊厳、愛、真理

わたしたちを幸福にするのは、所有することではなく、楽しむことである

ミシェル・ド・モンテーニュ『エセー』

1章　古典の声

この本の第1部、第2部では、人文学の知に備わる「役に立たないことの有用性」について考えてきた。ここまでの議論を踏まえ、第3部では、古典の「声」に直接に耳を傾けてみたい。時の流れに磨かれてきた豊かな言葉が、また別の偉大な作家の言葉と出会うことで、美しい火花を散らすことがあるかもしれない。これまでに見てきたように、わたしたちの社会が「所有すること」に絶大な価値を見いだしているとしても、何人かの作家は見事な表現でもって、所有することには見せかけの価値しかないことを明らかにしている。あらゆる分野の知、あらゆる種類の人間関係は、所有への欲求によって破滅的な影響をこうむることがある。モンテーニュが鋭く指摘しているとおり、「わたしたちを幸福にするのは、所有することではなく、楽しむこと」なのだ。説得力に満ちた例を厳選するためにも、ここでは三つのテーマに限定して、古典の言葉を見ていきたい。その三つとは、人間の尊厳《ディグニタース・ホミニス》、愛、真理という、わたしたちの生にとって計り知れない重みをもつテーマである。「所有すること」にこだわる者は、とくにこれら三つの領域において、悲惨な事態を招きよせる。反対に、「無私」や「無償」の考え方が力強く育つうえで、そこ――人間の尊厳、愛、真理――は理想的な土壌《どじょう》でもある。

2章　人間の尊厳――富の幻想と知の身売り

人間の尊厳はほんとうに、所有している財産をもとに計ることができるのだろうか？それとも、利潤や金もうけとは関係のない価値にもとづいて決まるのか？　こうした問いに答えるために、わたしはまず、古代ギリシアの名医ヒポクラテスのものとされる書簡から見ていきたい。書簡のなかでヒポクラテスは、周囲から狂人と見なされるデモクリトスについて語っている。これは一種の「書簡体小説」とでも呼びたくなる代物《しろもの》であり、そこでは「役割の転倒」という物語上の技法が用いられている。物語が進行するに従って、医師が患者となり、患者が医師の役割を負うのである。こうして、ヒポクラテスの目には、デモクリトスの見かけ上の狂気は思慮分別と映るようになり、一方で、賢明だとされていたアブデラ人たちの狂気があらわになる。物語は示唆《しさ》に富む場面から始まる。丘の上に立つ自宅で暮らす偉大な哲学者（デモクリトス）が、いつまでも笑うことをやめず、同国人たちは彼が病気にかかったのではないかと不安を抱く。デモクリトスを治してもらうために、周囲の人びとはヒポクラテスを呼ぶことに決める。この医師は富を軽蔑し、報酬には関係なくみずからの職務を実践しようとする人物である。

自然も、神も、金銭と引き換えにわたしの来訪を取りつけることはできない。それはあなた方も同じだ、アブデラ人よ。わたしに強要するような真似《まね》はせず、自由な技芸を自由に実践させてほしい。対価を求める人びとは、みずからの知をなにかに服従させることを強要している。まるで、知を奴隷にするかのように［……］。人間の生とはみじめなものだ。抑制のきかない金もうけの欲求が、嵐のように人生を横切っていく。ああ、すべての医師が一丸となって、狂気などよりよほど深刻なこの欲求に抵抗し、それを治療できたなら。人は金もうけの欲求を祝福するが、実際にはそれは病気であり、悪を生みだすものなのだから。

ふたりの卓越した知性の持ち主は、顔を合わせるなりじつに豊かな対話を交わす。とくに興味深いのは、デモクリトスの笑いを引き起こした原因についての議論である。ヒポクラテスのたたみかけるような問いかけに、デモクリトスはこのうえなく明確に返答している。

わたしは人間のことを笑っているだけですよ。愚かで、公正さのかけらもない人間のことをね。[……]その際限のない欲望のために、あるときは地の果てまで赴《おもむ》き、あるときは巨大な穴を掘って、またあるときは銀や金を溶かしてうずたかく積みあげる。要は、よりたくさんのものを得ようとあくせくして、よりちっぽけな存在に身を落としているわけです。鎖につながれた人間に素手で深い穴を掘らせて、そのおかげで自分が幸福であることを恥じようともしない。崩れた地面の下敷きになって命を落とす者もいれば、あまりにも長いあいだ奴隷の境遇にあるために、牢獄のような環境を祖国として生きる者もいる。こうした人びとを酷使して、金銀を探し求め、土くれやごみくずをひっかきまわし、砂の山をどこかへ移して、豊かになるために地面の血管を開き、母なる大地をばらばらに砕いているのです。

デモクリトスの指摘は、ヒポクラテスの胸を打っただけではない。はるか未来、二十一世紀を生きる読者にたいしても、その言葉は自省を促さずにはいないだろう。金や銀を掘り返すために「母なる大地をばらばらに砕き」、他人の命と引き換えに富を積みあげることは、人類の未来を危険にさらすことを意味している。それは、人間の尊厳を破壊する行為なのだ。人間は、みずからを傷つけようとする危うい狂気にとらわれている。

富と権力は誤った幻想をもたらす。古代ローマの哲学者セネカもまた、「ルーキーリウス宛て書簡」のなかで、「劇場としての世界」という隠喩《メタファー》を用いながら、富や権力の危うさについて語っている。裕福な人間や権力者は、舞台の上で王の役を演じている俳優のようなものである。この人たちが幸福なのは、芝居が続いているあいだにかぎられる。芝居が終わり、王の衣装を脱ぎ去れば、日常における本来の姿を取り戻す。

深紅《しんく》の衣をまとった人びとは、誰ひとり幸福ではない。小道具として王の笏《しゃく》を握ったり、クラミス〔男性用のマント〕を身につけたりする悲劇俳優を、幸福とは見なせないのと同じことだ。芝居用の底の高い靴をはき、仰々《ぎょうぎょう》しい身ぶりでもって、公衆の前で悠然《ゆうぜん》と歩いていた俳優も、舞台から下りるなり靴を脱ぎ、もとどおりの身長になる。富や名誉ある役職によって高みにのぼった者のなかに、偉大な人物はひとりもいない。

わたしたちは往々にして、舞台の上の姿をほんとうの姿と取り違えてしまう。セネカによれば、こうした間違いが生じるのは、着ているものや、身につけている宝飾品にばかり気をとられ、肝心の「その人自身」を見ようとしないからである。

きみが人を正当に評価し、その人の本質を知りたいと願うなら、裸の状態を見ることだ。その人の祖国も、名誉ある地位も、幸運の女神から授かった見せかけの飾りもわきに置いて、肉体さえも脱がしてしまうのだ。それから、人格を注意深く検討し、どのような実質を備えているのかを見きわめ、その人が偉大なのはみずからの美徳によってなのか、あるいは別の要因のおかげなのかを判断するといい。

それから何世紀もの時を経て、ルネサンス期の人文主義者ピコ・デラ・ミランドラは、その有名な著書『人間の尊厳について』のなかで、人間の尊厳は「自由意志」にもとづいていることを主張した。かつて人間が創造されたとき、神はすでにあらゆる性質をほかの生物に割り振ってしまっていたため、人間に与える特徴がなにも残っていなかった。そこで神は人間に「限界」をもうけることをやめ、みずから運命を選択する自由を人間に認めたのである。

ほかのものどもに割り振られた限定された本性は、われわれが定めたもろもろの法のなかに閉じこめられている。いかなる束縛からも制限を受けないお前〔人間〕は、わたしがお前をその手中に委《ゆだ》ねた自由意志に従って、みずからの本性を決定すべきである。［……］われわれは、お前を天上的なものとしても、地上的なものとしても、死すべきものとしても、不死なるものとしても造らなかった。それは、いわば「自由意志を備えた名誉ある造形者・形成者」として、自分自身を、お前が望むとおりに形づくれるようにするためである。お前は、下位のものどもである獣へ退化することもできるだろうし、また上位のものどもである神的なものへ、お前の決心によって生まれ変わることもできるだろう。

こうして、この世界のどこに住もうと自由である人間は、上位の存在と肩を並べることも、理性の欠けた獣のあいだに身を落とすこともできるようになった。すべては、本人の選択次第である。哲学の探求に導かれて進む者であれば、ほんとうの「尊厳」は利益を積みあげるためだけの活動ではなく、「諸事物の原因、自然の道、宇宙の理性、神の計らい、天と地の秘密」をめぐる知識によってもたらされることに気づくだろう。

人間中心主義的かつ神秘主義的なピコの世界観は、現代の視点から眺めると難点も多いように見える。それでも、利潤という恐るべき牢獄から、知や人間の尊厳を解き放とうとする彼の言葉は、いまも輝きを失っていない。

いや、それればかりか、いまや（ああ、なんとも嘆かわしいことに！）、知恵を欲得ずくで研究する人だけが知者と見なされるというところまで、事態は進行している。その結果、神々の計らいにより人間のあいだで暮らしていた貞淑《ていしゅく》なパラス〔学問・技芸の女神〕が、追い出され、はねつけられ、ばかにされる光景を、わたしたちは目の当たりにすることになる。自分を愛し守ってくれる者をパラスが見つけるためには、身売りでもして、処女を奪われた代償にわずかな対価を受けとり、恥ずべき仕方で得たその金を、愛人の宝石箱に入れるしかない。

ピコと同じく、十五世紀イタリアを生きた詩人で建築家のレオン・バッティスタ・アルベルティも、『文芸の利益と不利益について』と題された著作のなかで、利得には目もくれずに美徳の道を歩むために、文芸の研究に人生を捧げることが必要だと説いている。結末近くの、自伝風の記述が見られる数ページにおいて、この著名な建築家は、これまでの自分の努力が知への愛によってのみ動機づけられてきたことを強調している。

［……］かつてわたしは、貧しさや、敵意や、多くの人もよく知るとおり、私情のからんだはなはだしい侮辱《ぶじょく》を［……］まさしく文芸への燃えるような愛のために、魂を強く、高く、堅固に保つことで耐え抜いた。わたしがそうしたのは、なんらかの快楽を得るためでも、富を築くためでもない（文芸から商売へ宗旨《しゅうし》替えしたのであれば、わたしとてそのような目的を掲げただろうが）。［……］学者の魂に火をつけるのは、黄金や富ではなく、美徳や知への熱望である。

同じように、ロンギノスという素性不明の人物の作とされる古代の文芸論『崇高《すうこう》について』でも、富への熱望は重大な病と見なされている。それは人間の魂だけでなく、社会や市民生活さえ破壊する力を秘めている。

すなわち、すでにわたしたちがひとり残らず、手の施しようもなくわずらっている富への熱望、そして快楽への愛は、わたしたちを奴隷にする、あるいはむしろ、人生という船を乗組員ともども沈没させるのです。富への熱望は、魂をさもしくします［……］。実際、わたしの考えでは、富につきものの悪徳がわたしたちの魂に入りこまないようにする方法は、とうてい見つかりそうもないのです。なにしろわたしたちは、際限のない富に敬意を払い、もっと言うなら、神と崇《あが》めてさえいるのですから。［……］これら富の後継ぎたちが成長するのを許してしまえば、すぐに情け容赦ない独裁者、つまり、傲慢《ごうまん》と無法と無恥とを魂に産みつけます。

3章　所有するために愛することが、愛を殺す

愛に捧げられた考察のなかにも、「無私」の価値にかんする例はいくらでも見つけてこられる。人は誰かを愛するとき、いっさいの見返りを求めることなく、「与えること」に純粋な喜びを見いだすものである。つまり愛とは、たがいに自由に歩み寄るふたつの存在の出会いとして表現できる。ふたりを結びつけているのは無私（無欲）の結びつき、愛それ自体の価値であって、それは個人的な損得勘定やエゴイズムを打ち負かす力をもっている。アントワーヌ・ド・サン＝テグジュペリが『城砦《じょうさい》』のなかで書いているように、もし、愛が贈り物として与えられるなら――つまり、わたしたち自身が贈り物として差し出されるなら――愛が苦しみをもたらすことはけっしてない。

愛を、所有の陶酔《とうすい》と混同してはいけない。こうした陶酔は、最悪の苦痛をもたらすものである。思うに、世間の意見とは反対に、愛は人を苦しめるものではないのだ。人を苦しめるのは、所有したいという衝動であり、これは愛とは正反対の代物《しろもの》である。

だが、所有したいという欲求や、他者を支配したいという思いが解き放たれると、愛は嫉妬《しっと》に変貌する。この場合、「愛すること」はもはや「与えること」ではなく、あなたに「属す」誰かから「愛されること」になってしまう。実際、夫婦や恋人たちはよく、なわばりにマーキングする動物のように振る舞うことがある。所有するには、汚してしるしをつけなければならないのだ。フランスの哲学者ミシェル・セールによれば、「婚姻《こんいん》関係においても、所有することは相手を奴隷に変えることに等しい。ここでも、刻印の出番である。牛や奴隷は焼きごてによって、自動車は〈Ford《フォード》〉というロゴによって、花嫁は黄金の指輪によってしるしをつけられる」。忠節にじゅうぶんな抵抗力が備わっていること、結びつきが排他的であること、情熱が純粋であること、自分が相手を所有しており権力をふるえる立場にあることなどを、なんとしてでも目に見える形で確かめようとするあまり、人はついには、パートナーの気持ちを試すという狂気に走る。

この危険について伝えるために、ここではふたつの古典に着目してみたい。ひとつは、リナルドと金《きん》の杯《さかずき》の騎士の小話《ノヴェッラ》（イタリア文学を代表する古典、ルドヴィコ・アリオスト『狂えるオルランド』第四十三歌より）、もうひとつは、「愚かな物好きの話」と題されたエピソード（『ドン・キホーテ』前篇の第三十三－三十五章より）である。

まずは、リナルドと金の杯の騎士の小話を見ていこう。マントヴァからフェッラーラへ向かう途中で日が沈み、リナルドはとある城館に泊めてもらうことになる。食事を終えたリナルドは城の主《あるじ》から、「金の杯の試し」を受けるように促される。その試しを受けるには、魔力を帯びた杯のワインを飲みほさなければならない。もし、飲む者の胸にワインの汚れが飛びちらなければ、その妻は貞節だということになる。リナルドは杯をもちあげ、ワインを飲もうと唇を近づけるが、けっきょくは杯をテーブルに置きなおす。知りたいという欲求と、知らぬままでよいという慎重さに引き裂かれながら、試しを放棄することを決断する。愛の真実を知ろうとしたために、かえって毒をはらむ疑いや、いまわしい思いこみを抱えこむことになってはたまらないと考えたのだ。見たくもないものを見ようとするのは、みずからを傷つける行為であると、賢明なリナルドは気づいていた。誰かを愛するということは、「確かさ」を所有したいという思いを手放すことにほかならない。相手を信じることだけが、敬意と寛容にもとづく関係を生きる助けとなる。「自分が信じて疑わないことは、そのままそっとしておこう。信じることがこれまで大いに役に立ったし、いまなおそうなら、それを試してなんの意味があるだろう」

客人の聡明さに胸をかき乱された城の主は、涙にむせび、みずからの嫉妬が原因で妻への愛を台なしにしたことを告白する（「善きリナルドはこう述べて、そのいまわしい杯を押しやった。それから館の主に視線をやると、その眼から涙の川があふれ出ていた。主は気持ちをやや静めると、こう言った。〈その試みをするようにわたしを説きふせ、そのあげく優しい妻をわが手より奪った者こそ、ああ、呪われろ〉」）。裏切りへの不安、愛する人を失うのではないかという恐怖から、城の主はかつて、妻に数々の試練を課してその貞節を確かめようとした。はじめのうち、悪意のこもった誘惑や、夫が仕組んだ罠《わな》を、妻はきっぱりと退けていた。だがあるとき、魔女の力を借りて「若い恋人」になりすました主は、たいへんな価値のある宝石を妻に差し出した。すると彼女は、それが罠であるとも知らないまま、贈り物と引き換えにひと晩をともに過ごすことに同意してしまう。「わたしの妻は、最初はおおいに眉《まゆ》をひそめて、顔を赤らめ耳をふさいだが、炎のごとくにきらめき輝く美しい宝石を前にして、硬い心をやわらげて、か細い声で、手短かに、思い出すだけで命が絶える思いのする言葉を口からもらした。人に知られることさえなければ、あなたの想いに応《こた》えましょう、と」

富への飽くなき欲望という、これまでさんざん取りあげてきたテーマ――ウェルギリウスは『アエネーイス』のなかでこう歌っている。「お前が人の心に無理強いできぬことなどあろうか、黄金への呪われた渇望《かつぼう》よ」――は、ここではひとまず措《お》いておこう。アリオストがこの場面で強調しているのは、妻の裏切りの原因であり、立て役者でもある夫の軽率さである。事実、金の杯の騎士の悲痛な告白を聞いたあとで、リナルドは彼の無分別を詰《なじ》っている。遍歴の騎士リナルドに言わせれば、妻が誘惑に負けた瞬間に愛が終わったと考えるのは間違いである。妻の貞節を試そうとしたとき、妻がどこまで誘惑に耐えられるか確かめようと決めたとき、すでにふたりの愛は終わっていたのだ。

もし奥方が身を守るのを見たかったのなら、
そのようなひどい武器で攻め立てるべきではなかった。
黄金には大理石も、硬い鋼《はがね》も
かなわないことは、あなたも知っていただろうに。
たちまち誘いに負けた奥方よりも、奥方を試そうとした
あなたの振る舞いこそが大きな間違い。
もし奥方があなたを試していたなら、
あなたはもっと堅固な心でいられただろうか。

所有の欲求を手放すこと、相手を失うリスクと共生する術《すべ》を学ぶことは、愛のもろさや不安定さを受け入れることを意味する。けっしてほどけることのない愛情の結びつきとは、むなしい幻想に過ぎない。人と人の関係に、限界や不完全さは付き物であり、曖昧《あいまい》さや、影の部分や、不確かさを抜きにして、他者と関係を築くことはできない。だからこそ、曇りのない透明性や絶対的な真実を愛のなかに見いだそうとするなり、愛は壊れ、窒息し、

取り返しのつかない事態に陥るのである。
『ドン・キホーテ』に挿入されている小話「愚かな物好きの話」のなかで、リナルドの聡明な判断が引き合いに出されているのは偶然ではない。セルバンテスはここで、兄弟のような絆《きずな》で結ばれているふたりの友、ロターリオとアンセルモを登場させている。アンセルモには、たいへん美しいカミーラという妻がいる。幸福な愛の物語を生きていた若夫婦だったが、晴れやかだったはずのアンセルモの胸中に、よこしまな疑念がきざすようになる。誘惑の危険にさらされていない女、みずからの誠実さを示す機会がない女は、ほんとうに貞節だと言えるのだろうか？

だってそうだろう――と、アンセルモは続けた――誰からも言い寄られたり、誘惑されたりしないような女が貞淑《ていしゅく》であったところで、それはあたりまえで、別にありがたくもなんともないからね。また、自由に羽をのばす機会のない女や、たとえ一度の出来心でも、夫に見つかったが最後、命はないものと承知している女が、いくら貞節にして従順であったとしても、なんの不思議もないじゃないか。だから僕は、機会に恵まれなかったり、処罰を恐れたりするがゆえに貞淑である女を、いくら男に言い寄られ誘惑されてもなびくことなく、頑《がん》として操《みさお》を守り抜く女と同じように評価するつもりはないのさ。

こうしてアンセルモは、妻の愛を確かめたいと願うあまり、カミーラを誘惑してほしいと友（ロターリオ）に頼みこむことになる。ロターリオは抵抗し、彼を思いとどまらせるため、じつに説得力のある議論を展開する。ロターリオの考えでは、アンセルモの願いはばかげているとしか言いようがない。それはどちらに転んでも、好ましい結果はもたらさない試みである。仮に妻が誘惑に耐えたとしても、そのために夫を前よりも愛するようになるわけではない。反対に、もし妻が誘惑に負けたなら、夫は自分でみずからの不名誉を演出したことになる。まさしく、友を説得するための長広舌《ちょうこうぜつ》のなかで、ロターリオは『狂えるオルランド』における「杯の試し」について言及する。「賢明なリナルド」のエピソードに触れながら、彼は友人に次のように語っている。

きみも、人に知られていない秘め事だからといって、苦悩をまぬかれるというわけにはいかず、それこそ絶えず泣き暮らすことになるだろう。それも目から涙を流してではなく、心に血の涙を流してだ。われらの詩人〔アリオスト〕が歌っているように、試しの杯を口にした愚かな博士が流した、あの血の涙をね。しかし、さすがに賢明なリナルドは、思慮分別をはたらかせて、その杯を口にすることを断わったんだよ。たしかに、これは文学的な作り事にすぎないが、そこには僕たちがつねに心に留め、手本にするに値する教訓が秘められていると思わないかい？

残念ながら、『ドン・キホーテ』のなかで語られるこの物語は、悲劇的な結末を迎える。ロターリオとカミーラは愛し合うようになり、アンセルモは苦しみのために命を落とす。そして、ロターリオとカミーラもまた、けっきょくは同じ運命をたどることになる。だが、後悔した夫（アンセルモ）は事切れる前に、妻（カミーラ）にメッセージをしたためていた。そこには、彼自身が手をまわして、みずからの恥辱《ちじょく》を画策《かくさく》したことが記されていた。

《ばかげた、理不尽《りふじん》な願望がわたしの命を奪った。もし、わたしの死の知らせがカミーラのもとに届くことがあれば、わたしが妻を赦《ゆる》していると伝えてほしい。なぜなら、彼女に奇跡を起こす義務などなく、また、わたしが彼女にそれを強要できるはずもないからである。わたしの恥辱を画策して作りあげたのが、ほかならぬわたし自身であるからには、彼女が責められる謂《いわ》れなど……》

この小話を読めば、セルバンテスがアリオストを深く読みこんでいたことがよくわかる。だが、『狂えるオルランド』と『ドン・キホーテ』のなかで語られるふたつのエピソードには、夫婦や恋人同士の関係という限定的なテーマを、軽々と飛びこえていく普遍性がある。わたしたちはこの物語を、「寛容」というより広い文脈から読みなおすことができるだろう。騎士リナルドや、その良き解釈者であるロターリオは、「ゆるぎない真実」という考え方を手放すようにわたしたちに促している。努力や勝利によって得たあらゆる成果は仮初《かりそ》めのものであり、不安定で、いつ失われてもおかしくないことを、わたしたちは受け入れなければならない。

「所有」という営みは多くの場合、愛にとってのもっとも悪《あ》しき敵のひとつとして姿を現す。愛を鎖につなぎ、永遠に牢獄のなかで生きるように強《し》いたところで、「人間的な事柄」を特徴づける変化や変転から愛を守ることにはつながらない〔ペトラルカ『カンツォニエーレ』に、「ああ、人間的な事柄の、なんと移ろいやすいことか!」という詩句がある〕。フランスの啓《けい》蒙《もう》思想家ディドロは、『ブーガンヴィル航海記補遺《ほい》』の見事な一節のなかで、そのことをわたしたちに思い起こさせてくれる。

お前さんのいう掟《おきて》とやらは、物事の在り方にそむくものだ。わしらが現に経験している心変わりを禁止し、わしらに守れるはずのない節操を命令し、雄と雌の自由を侵して、ふたつのものをいつまでも鎖につないでおこうというのか? 数ある楽しみのなかでもいちばん気まぐれな楽しみを、たったひとりの相手にとどめておく貞節。ほんのいっときも同じ形でいることのない空の下や、いまにも崩れそうなほら穴のなかや、砕けて塵《ちり》となる岩壁のたもとや、ひび割れする樹の根もとや、ぐらつく石の上で、ふたりの肉の欲にふける者がとりかわす変わらぬ誓い。どれもこれも、ばかげてるとしか言いようがない。

愛を檻《おり》に入れることはできない。ドイツの詩人ライナー・マリア・リルケが、書簡のなかで美しいイメージを用いて語っているように、愛は自由に動きまわることを欲している。立ちどまることも、逃げ去ることもじゃましない、開かれた手を必要としている。愛の動きを妨げようと指を握ることは、わたしたちの手を棺《ひつぎ》に変えることにほかならない。なぜなら、所有することは、殺すことだから。

［……］「見ること」はわたしたちにとって、もっとも真正な征服です。［……］なにかがわたしたちの手中に住まい、しおれたとしても、わたしたちが豊かになるわけではありません。堂々とした出入り口を往き来するようにして、握りしめた拳《こぶし》からすべてが流れ出るからこそ、わたしたちは豊かになれるのです。わたしたちの両手が、棺であってはいけません。それは、夢を見ながら薄明の時間を眠る、寝床でしかないのだから。そのもっとも奥深いところで、いちばん大切な秘め事が語られます。［……］

というのも、所有は貧しさと苦しみを意味するからです。「かつて所有していた（けれどもう所有していない）」ということだけが、「恐れずに所有する」ことに等しいのです。

4章　真理を所有することは、真理を殺すこと

「愛」というテーマについて考察を進めていけば、ごく自然に「真理」というテーマにたどりつく。すぐに頭に思い浮かぶのは、かつてプラトンによって語られ、のちにルネサンスの時代に大きな成功を収めた「エロス（愛の神）」の神話である。プラトンの『饗宴《きょうえん》』では、哲学者をエロスになぞらえる議論が展開される。というのも、哲学者とエロスはいずれも、両極のあいだを揺れ動く永遠の運動にふけっているからである。作中でソクラテスが報告する、巫女《みこ》ディオティマから聞かされたエロスの受胎《じゅたい》の寓話を読めば、哲学者と

エロスの類似がよくわかる。アフロディテの生誕の宴《うたげ》が開かれているとき、神酒《ネクタール》に酔ったポロス（術策の神）はペニヤ（困窮の女神）と交わる。こうして生まれたエロスは、両親の相反する性質を受け継いだために、あらゆるものを得ては失い、失っては得る運命を生きることとなる。エロスは死すべき存在でも不死の存在でもなく、貧しくもなく豊かでもない。エロスは「仲介者」としての役割を引き受け、哲学者の置かれた状況を象徴的に表しながら、つねに「無知」と「英知」のあいだで宙づりになっている。「愛知者」であるほんとうの哲学者は、神々と無知な人間——神々は、すでに知を所有しているために知を求めず、人間は、すでに知を所有していると思いこんでいるために知を求めない——のあいだに立ち、生涯を通じて知を追いかけ、少しでも知に近づこうとする。

十六世紀イタリアの哲学者ジョルダーノ・ブルーノは、探求者としての哲学者のイメージを独創的な手法で再解釈し、極限まで考察を推し進めている。ブルーノの著書『英雄的狂気』においては、恋愛叙情詩の古典的な枠組みが、知の探求というテーマに転用される。けっして手の届かない恋人を抱きしめようとする、恋する男の満たされない欲望が、知を追い求める「狂人」の英雄的な歩みと対比される。尽きることのない情熱に背中を押される「軍団」は、不可能であることを知りつつ挑む。失うことをわかっていながら手を伸ばし、獲物が得られないことは決まりきっているのに狩りにのぞむ。知を愛する哲学者は、自身にとっての唯一の「召命－天職《ヴォカツィオーネ》」は、真理を追求することであると承知している。『広大者について』のなかでブルーノは、次のように断言している。

なんらかの真理が知られずに残り、なんらかの善が得られずに残っていることを見てとるたび、わたしたちは別の真理を探しにゆき、別の善を熱望する。要するに、限界のある真理や、限定的な善を求めるだけでは、探索や研究の精神は満たされない。

ブルーノにとって知の探求は、どこまでも人間的かつ理性的な営みである。そこには奇跡も、驚異も、魔術も、ややこしい神秘主義も、神聖との不可思議な結合の約束も、超自然的な生の保証もない。限りある存在（人間）と限りない知のあいだに横たわる埋めようのない溝が、狂人の「満たされなさ」を生みだしている。だが、知を――その全体性を損なうことなく――抱擁《ほうよう》しようという継続的な緊張感が、自然のもっとも奥深くに隠された秘密をわたしたちに垣間見《かいまみ》させ、ごく短いあいだではあっても、無数の要素の統一というイメージを想像させてくれる。恋する哲学者の軍団は、限りない知を夢見ながら、この「不可能だが絶えず追い求められる結合」を意識するようになる。ブルーノにとって大切なのは、限りない知を抱擁することではない。それよりも、知へ続く道をどこまでも、いつまでも歩いていこうとする身ぶりこそが重要なのだ。「愛－知《フィロ・ソフィア》」の本質は、知への愛をつねに活動的な状態に保つことにある。だからこそ、尊厳をもって走ることは、賞品を得ることよりも意味がある。

最終的には賞を勝ちとることができないとしても、走りつづけなければならない。これほど重要な事柄に全力を尽くし、最後の最後まで抵抗するのだ。勝者だけが賞讃されるのではない。死に際にあって、臆病者や怠け者として振る舞わなかった者もまた、やはり賞讃に値する。［……］賞を獲得した者だけが栄誉にふさわしいわけではない。よく走った者、たとえ勝利を得ることはなかったとしても、じゅうぶんに勝利に値する働きをしたと言える者もまた、栄誉を受ける資格がある。

モンテーニュが『エセー』の印象的なページに書いているとおり、ほんとうの「狩猟者」はみな、狩りのほんとうの目的は獲物そのものではなく、獲物を追いかける行為のうちにあることを知っている。

追いかけること、狩ろうとすることが、わたしたちのほんとうの獲物なのだ。だから、狩りの進め方が下手でいい加減だったら、申し開きのしようもない。獲物を捕まえそこなうのは、まったく別の問題である。というのも、わたしたちは真理を追求するように生まれついているが、真理を所有するのは［人間よりも］偉大な力に属す営みだからだ。［……］世界は探求のための学校にほかならない。そこでは、誰が的に命中させたかということよりも、誰が見事に駆け抜けたかということが重要になる。

ブルーノとモンテーニュはともに、宗教戦争という悲劇を目の当たりにしている。絶対的な真理を所有しているという確信が、多くの教会を暴力と恐怖の道具に変えたことを、ふたりはよく知っていた。狂信が、罪のない無防備な人びとを殺戮《さつりく》し、家庭内にまで死と破壊をもちこんだ。それでも、平和を擁護する文章のなかでエラスムスが情熱的に語っているように、野蛮な暴力に訴えることは、信仰の本質とは相容《あいい》れない。

旧約聖書にせよ新約聖書にせよ、聖典全体が語っていることは、ただひとえに平和と一致協力についてだけです。それなのに、キリスト教徒たちの生活全体は、ただもう戦争をやらかすということだけでいっぱいではありませんか?

エラスムスの指弾が当てはまるのは、なにもキリスト教徒だけではない。彼の批判は、今日における多くのカルト宗教に当てはまる。どんな宗教にも、狂信が巣くう可能性はあるのである。悲しいことに、いつの時代も、神の名のもとに虐殺が行われてきた。神の名のもとに、普遍的な価値をもつ芸術作品が破壊され、途方もなく貴重な手稿や書籍を収蔵する図書館が焼き払われ、知の進歩に決定的な貢献を果たした哲学者や科学者が火あぶりにされてきた。ジョルダーノ・ブルーノの処刑を思い出してみればいい。一六〇〇年二月十七日、カンポ・デ・フィオーリ広場にて、ブルーノはローマの異端審問所により火刑に処された。あるいは、一五五三年のジュネーヴで、宗教改革者ジャン・カルヴァンの命令により実行された、ミゲル・セルヴェトの火刑という例もある。これにかんしては、フランスの神学者セバスティアン・カステリヨンが、『カルヴァン誹謗《ひぼう》文書に抗して』という著作のなかで、勇敢にも批判の声をあげている。

みずからの信仰を証明したいなら、他人ではなく、自分の体を焼くべきである。［……］人を殺したところで、教義が守られるわけではなく、たんに人が死ぬだけである。ジュネーヴ人がセルヴェトを殺したとき、彼らは教義を守ったのではなく、たんに人を殺したのだ。

恐ろしい矛盾である。絶対的な真理の名のもとに、人類全体の利益にとって必要だからと、暴力が解き放たれる。だが、文学はここでも、狂信や不寛容に対抗するための解毒剤を用意してくれている。神々にかかわる領域でも、絶対的な真理の所有は、あらゆる信仰、あらゆる真理を破壊することにつながる。同じ物語を異なる手際で仕立てたふたりの作家が、そのことをたくみに証言している。このふたりの仕事は、長大な論文よりも数ページの文学の方が、時として読み手に大きな影響を与えることを教えてくれる。ふたりの作家が手がけた「同じ物語」とは、ボッカッチョ『デカメロン』で語られる三つの指輪の有名な小話《ノヴェッラ》と、数百年後の十八世紀にドイツの劇作家レッシングがそれを翻案した、詩劇『賢者ナータン』である。

『デカメロン』第一日第三話では、カイロのスルタン〔イスラーム王朝の君主〕であるサラディンという人物が、富裕なユダヤ人メルキゼデックを宮廷に呼び寄せ、三つの宗教（ユダヤ教、キリスト教、イスラーム教）のうちどれが「真実の法」であるかを尋ねる。「賢い男」だったユダヤ人は、この質問が罠《わな》であることをただちに見抜き、答えるのが難しい問いにひとつの小話で応じることにする。メルキゼデックの物語には、もっともふさわしい後継者を指名するため、代々にわたって父から息子へ、内密に金の指輪が遺贈される一族が登場する。この伝統に従って、後継者たちは何世代も、ほまれある息子を選り抜いてきた。だが、ある代まで達したとき、伝統が危機に陥る。父親には三人の従順な息子がいたが、彼はどの息子のことも、同じくらい愛していた。指輪はひとつしかないのに、どうやって三人に褒賞《ほうしょう》を与えればいいのか？　そこで父親は、こっそり金細工師《きんざいくし》に注文してふたつの完璧なコピーを作らせ、死ぬ前にそれぞれの息子に指輪を与えた。

「[……]父の死後、自分こそが父の名誉ある遺産相続人だと三人とも名乗り出た。たがいに相手の言い分をしりぞけ、その証拠として自分は指輪をはめている、これが証拠だと言い張った。しかしその三つの指輪がいかにも似たり寄ったりなので、どれが本物だかわからない。それで裁判沙汰となり、その訴訟騒ぎはいまなお続いているという」

――「陛下」とユダヤ商人は話を続けた。「先ほどお尋ねになられました、父なる神から三つの民に授けられた三つの法についても、同様にお答えしたく存じます。みな自分こそが父なる神の正当な相続人だと思っています。自分こそが真の法の所有者、自分こそが真の戒律を神から直接授かったものと思いこんでいます。しかし、三者のうち、誰がほんとうにそれを授かったのかという問題は、指輪の場合と同じく、いまだに解決されていないのです」

メルキゼデックの抜け目ない回答は、サラディンをおおいに感心させた。神だけが解決できる問題を、地上の道具を使って人間が解決することはできない。ボッカッチョは、当時からよく知られていたモチーフに独創的な解釈を加えることで、他者への敬意に根ざした、寛容と共生の道を提示しようとしている。数世紀後、今度はレッシングが、困難だが必要不可欠なこの均衡《きんこう》を、ドイツ文学史に残る傑作『賢者ナータン』のなかでとりあげている。ここでもやはりユダヤ人（ナータン）が明確な意図のもとに、三つの指輪の小話を語っている。息子たちは、それぞれが正当な相続人であることを主張して、裁判官のもとへ訴えに行った。すると裁判官は息子たちに、いまの事態をそのまま受け入れ、自分が授かった指輪を本物だと思っておくように忠告した。

お前たちはそれぞれ、指輪を父親からもらったのだから、めいめいがしっかり自分の指輪を本物だと信じるのだ。——ことによると父親は、たったひとつの指輪が自分の家を支配することに、もう我慢できなくなったのかもしれない！――そしてたしかに、父親はお前たち三人をみな愛していた。同じように愛していた。ひとりだけを贔屓《ひい》《き》するために、あとのふたりを邪険《じゃけん》に扱いたくなかったのだ。――さあ！　それぞれが、お前たちの父親の、なにものにも囚《とら》われず偏見のない愛を手本にして、励むのだ！　それぞれが競い合い、父親の指輪の宝石がもっている力を発揮させるよう、努めるのだ！

人間には、「真の信仰」を確立することができない。それでも、ある信仰が、愛や、団結や、平和といった観念をどう捉えているのか吟味し、その信仰の有効性や信徒を引きつける力を推し量ることならできる。

わたしが思うに、宗教もまた哲学と同じように、生きるうえでのひとつの選択、ひとつの生き方になるべきなのだ。そうすれば、どんな宗教も哲学も、全人類にとって有効な絶対的な真理の所有者であるなどと自称することはなくなる。ただひとつの真理を所有していると信じる者は、人類全体の利益のために、力ずくでもその真理を押しつけたくなるだろう。知のあらゆる分野において、教条主義は不寛容の原因となる。倫理学でも、宗教学でも、政治学でも、哲学でも、自然科学でも、みずからの真理を唯一の正解と見なすことは、真理の探求を拒絶することに等しい。

事実、自分は真理を所有していると確信している者は、もはや真理を追求する必要性を感じない。他者と対話し、他者の言葉に耳を傾け、多様性に正面から向き合う必要性を感じない。真理を愛する者だけが、真理をつねに追いつづける。そう考えれば、「疑い」がじつは真理の敵ではなく、むしろ真理の追求を促進することにも納得がいくだろう。わたしたちは、真理を心から信じてはじめて、次の事実に気づかされる。真理が生命を失わないようにするには、それをつねに疑いつづけるしかない。絶対的な真理を拒否しないかぎり、「寛容」の居場所はない。

「不確かさ」のなかで生きるべく定められていることの自覚、自分はもろい存在であると認める慎《つつ》ましさ、間違いを犯すリスクにさらされているという意識だけが、他者とのほんとうの出会い、わたしたちとは違ったふうに考える人たちとの出会いに気づかせてくれる。だからこそ、意見や、言語や、宗教や、文化や、民族の多様性は、人類にとっての危険な障害物ではなく、抱えきれない富と見なすべきである。

　こうしたわけで、絶対的な真理を拒絶する人びとを、虚無主義者《ニヒリスト》と呼んではいけない。この人たちは、教条主義者と虚無主義者――前者は絶対的な真理を所有していると信じ、後者は真理の存在自体を否定している――の両方から等しく距離をとり、真理を愛するあまり終わりのない探求を続けている。知のあやふやさを受け入れ、疑念と向き合い、間違いとともに生きることとは、非合理主義や絶対的な権威に身をゆだねることとは違う。それはむしろ、多元主義の考えにもとづき、批判する権利を行使し、わたしたちとは異なる価値観を掲げて闘う人たちとも対話する必要があると感じとることである。

　英国の詩人ジョン・ミルトンは、あらゆる形式の検閲《けんえつ》に異を唱えて、出版の自由を守り抜こうとした論客である。ミルトンは『言論・出版の自由　アレオパジティカ』のなかで、真理とは湧き出る泉のようなものとして捉えなければいけないと説いている。


　つねに考える人は、われわれの信仰と知識は手足や身体と同じで、動かすことによって強くなることを知っています。聖書では、真理は湧き出る泉にたとえられています。泉の水はいつも流れていないと、画一と因襲《いんしゅう》の泥沼になります。

ミルトンにとって、真理を守るという名目で「武装した正義」に頼る人びとは、真理の息の根をとめているのと同じである。真理が殺されたあとは、自由も殺されることになる。真理と自由は切っても切れない関係にあるために、自由が殺されたが最後、真理の探求も不可能になる。『言論・出版の自由　アレオパジティカ』には、「あらゆる自由に先立って、知り、伝え、良心に従って論じる自由をわたしに与えよ」という一節もある。わたしたち人間が、真理の断片をまとめあげることができるのも、この「議論する自由」のおかげである。

現在の知識をもとに、未知なるものを探し求めること、新しく見いだすたびに真理と真理を結ぶことは（真理の身体は同質であり、調和しています）、数学はもちろん神学にとっての黄金律でもあります〔……〕。

語り残したこと、引用し損ねた言葉は、まだまだたくさん残っている。結論からはほど遠いが、ここではひとまず、レッシングの美しい言葉を紹介して幕引きとしたい。真理を追求することの大切さを、詩人はあらためて強調している。

人間の価値は、その人物が所有している真理、あるいは、所有していると思いこんでいる真理によって決まるのではない。そうではなく、真理に到達するためになされる誠実な努力こそが、人間の価値を決めるのである。人間を道徳的に向上させる力は、所有することではなく、真理を追い求めることで増大するからである。所有は人を怠惰で、傲慢《ごうまん》で、不安定にする。もし神が、右手にあらゆる真理を握りしめ、左手には真理への飽くことなき欲求だけを握りしめて、こう言ってきたとしよう。「どちらかを選べ！」つねに、永遠に間違いつづける危険を冒そうとも、わたしは左手の方へうやうやしく腰をかがめ、そして言うだろう。主よ、この手の中身を与えたまえ！　絶対的な真理とは、ただあなたのためにだけあるのだから。

レッシングの言葉には、これまでに読んできたほかの書き手の言葉と同様に、わたしたちの胸を震わせる力がある。ふだん「役に立たない」と言われる古典が、じつのところきわめて役に立つ道具であることを、これらの言葉はわたしたちや、未来の世代や、古典に触れて奮《ふる》いたつことのできるすべての人間に教えてくれる。所有や利潤が、愛や真理を窒息させる一方で、いかなる実利主義にも縛られない探求は、人間をより自由に、より寛容に、より人間らしくしてくれる。

訳者あとがき

本書はイタリアの文学研究者ヌッチョ・オルディネによる *L'utilità dell'inutile. Manifesto* (Bompiani, 2013) の翻訳である。南伊カラブリア大学で教鞭をとる著者は、ルネサンス文学、とりわけ、十六世紀の哲学者ジョルダーノ・ブルーノの専門家として、世界的にその名を知られている。本書は著者が専門外の読者に向けて執筆したはじめての著作であり、二〇二一年時点で二十二言語、世界三十二か国で翻訳・出版されている。イタリア本国では十万部を超えるセールスを記録したほか、フランスでは初版と再版を合わせて十六刷、スペインでは(カスティーリャ語、カタルーニャ語、ガリシア語の三言語の合計で)二十八刷に達するなど、イタリアの内外で大きな反響を呼んでいる。

すでに本文を読まれた方はご承知のとおり、本書は一種のアンソロジー、引用句集のような性格をもった作品である。古典的名作から引用した一節に、著者が短いコメントを付す形で議論が進行していく。イタリア・ルネサンス文学の専門家ということもあり、とりあげられている作品はやはり西洋の古典が中心だが、「無用の用」の典拠である『荘子』や岡倉覚三(天心)『茶の本』からも、印象的なくだりが引かれている。

一般に、イタリアというと「文化、芸術、歴史を大切にしている国」というイメージがあるかもしれないが、本書の「はじめに」を読むと、イメージと実態に相当な落差があることがうかがい知れる。文化・教育機関までがグローバル経済の波にのみこまれつつある状況に、イタリアはもう何年も前から苦しみつづけている。著者を本書の執筆へ駆り立てた主たる動機のひとつに、大学（および高校）の教育が「利潤の論理」に脅かされている現状への危機感がある。第2部「企業としての大学と、顧客としての学生」には、教育者である著者の問題意識がよく表れている。第2部3章「企業としての大学と、会社員としての教員」などは、日本の大学人も共感なしには読めないのではないだろうか。事務方に提出する書類の準備や、各種会議や、助成金申請のための研究計画書の作成に追われるうちに日が暮れて、研究書を読むことも講義の準備をすることもできないままに一日の終わりを迎える……どうやらこれは、日本の大学教員にかぎった話ではないらしい。

大学はなんのために存在するのか。医学部は医師を、法学部は法曹を、工学部はエンジニアを育てるために存在する。これはひじょうにわかりやすい。大学をある種の「職業訓練校」として捉えるなら、「無用」で「役に立たない」学部の筆頭が文学部であることは明らかである。大学で文学を学ぶことに、はたして意味はあるのだろうか。こうした問いに答えようとするのが、第1部「文学は〈役立たず〉だが〈役に立つ〉」である。たとえば、金銭には換算できない価値、重さや大きさを測るような仕方では把握できない価値について教えることは、著者が考える文学の重要な「効能」のひとつである。ルネサンス期の作家たち

（トマス・モア、カンパネッラ、ベーコンなど）が手がけた「ユートピア文学」には、金銭よりも「知」に重きを置く理想郷が繰り返し描かれている。

著者はまた、エミール・シオランを引用しながら、死の直前のソクラテスをめぐるエピソードを紹介し、「知ること」と「生きること」の関係に考察をめぐらせる（第1部26章）。処刑人が毒にんじんを調合するかたわらで、ソクラテスは笛の練習に余念がなかった。いまさらそんなことをしてなんの役に立つのかと問われたソクラテスは、「死ぬ前に、この曲を吹けるようになるさ」と返したという。無益なこと、なんの役にも立たないことが、わたしたちを奮いたたせ、生きようという意志を正当化する根拠となることを、この逸話は雄弁に伝えている。

本書の読者は、著者が引用する文学、哲学、あるいは科学の古典的名著の一節に触れながら、自身の読書体験を振り返ることになるだろう。「知」の価値は金銭に換算されないという議論を読んで訳者が思い起こしたのは、『吾輩は猫である』のなかで迷亭が披露していた長広舌である。迷亭曰く、古代ギリシア人は体育をひじょうに重んじ、競技の勝者には貴重な金品を与えたにもかかわらず、学者の知識にはなんの褒美も用意していなかった。それはなぜかと長らく迷亭が不思議に思っていたところ、「逍遥派の元祖アリストートル（アリストテレス）」がその答えを教えてくれたという。

彼の説明に曰くさ――おい菓子皿などを叩かんで謹聴していなくちゃいかん。――彼等希臘《ギリシア》人が競技において得るところの賞与は彼等が演ずる技芸その物より貴重なものである。それ故に褒美にもなり、奨励の具ともなる。しかし智識その物に至ってはどうである。もし智識に対する報酬として何物をか与えんとするならば智識以上の価値あるものを与えざるべからず。しかし智識以上の珍宝が世の中にあろうか。無論あるはずがない。下手なものをやれば智識の威厳を損する訳になるばかりだ。彼等は智識に対して千両箱をオリムパスの山ほど積み、クリーサスの富を傾け尽しても相当の報酬を与えんとしたのであるが、いかに考えても到底釣り合うはずがないと云う事を観破して、それより以来と云うものは奇麗さっぱり何にもやらない事にしてしまった。

「知」にまさる「珍宝」は、この世には存在しない。古代ギリシア人はそのことを理解していたから、学者の知識に褒賞を出そうとしなかったのである（ちなみに、高校生のころに読んだきりの『猫』にこのような場面があったことを訳者に気づかせてくれたのは、保坂和志『人生を感じる時間』〔草思社文庫〕に収録された「カネのサイクルの外へ!!」というエッセイである）。

「知ること」と金銭の関係については、二十世紀イタリアの作家ナタリア・ギンズブルグも、きわめて示唆に富む言葉を残している。著者一流の教育論が展開された「小さな徳」（『小さな徳』白崎容子訳、河出書房新社）というエッセイのなかで、ギンズブルグは子どもと金銭のかかわりについて注意点を記している。

子どもが学校にあがると、親は待ってましたとばかりに、ちゃんと勉強したらご褒美にお金をあげると約束する。これは間違っている。崇高さとは無縁のお金なるものを、勉学や知識を得る高潔な歓びと同レベルに引き上げて一緒くたにしてはいけない。

「知ること」を通じて得られる歓びには、金銭には換えられない価値がある。ギンズブルグは同エッセイのなかで、「天職」というテーマにも言及している。これもまた、本書『無用の効用』の記述と併せて読むと、じつに興味深く感じられる箇所である。本書の第3部4章「真理を所有することは、真理を殺すこと」のなかで、著者はジョルダーノ・ブルーノの議論を参照しながらこう書いている。「知を愛する哲学者は、自身にとっての唯一の『召命－天職《ヴォカツィオーネ》』は、真理を追求することであると承知している」（本書二二六頁）。「知」を愛し、愛の対象であるところの「真理」を追求することが、哲学者にとっての「天職」である。当然ながら、ここでいう「天職」には、金銭的な見返りなどいっさい用意されていない。そして、ギンズブルグもまた、エッセイ「小さな徳」のなかで「天　職《ヴォカツィオーネ》」について次のように書いている。

> 天職。それは、お金を度外視して、燃えたぎる一途な情熱を注ぎ込むもの、ほかの人より上手にできるし何よりも愛していると自覚できるなにかである。［……］天職だけが、人間の真の救いであり、豊かさなのだ。

「天職」とは、人生にたいするわたしたちの愛の「最大の表現」である。親自身が天職をもち、情熱をもってそれに奉仕していれば、子どもは自然にみずからの天職へ導かれるだろう。それこそが、親が子どもに与えてやれるもっとも貴重な教育であるとギンズブルグは書いている。「愛」と「知」というテーマをめぐって、十六世紀の哲学者ブルーノと、二十世紀の作家ギンズブルグの言葉が響き合う。

あるいは、第3部3章「所有するために愛することが、愛を殺す」を読みながら、訳者はイタリアの物理学者カルロ・ロヴェッリの言葉を連想した。愛の「不確かさ」をめぐる著者の議論が、科学の知の「不確かさ」をめぐるロヴェッリの議論に通じているように思えたからだ。著者（オルディネ）は次のように書いている。「誰かを愛するということは、『確かさ』を所有したいという思いを手放すことにほかならない。相手を信じることだけが、敬意と寛容にもとづく関係を生きる助けとなる」（本書二一五頁）、「人と人の関係に、限界や不完全さは付き物であり、曖昧さや、影の部分や、不確かさを抜きにして、他者と関係を築くことはできない。だからこそ、曇りのない透明性や絶対的な真実を愛のなかに見いだそうとするなり、愛は壊れ、窒息し、取り返しのつかない事態に陥るのである」（本書二一七〜二一八頁）。一方のロヴェッリは、科学の信頼性は「確かさ」ではなく、「確かさの根本的な欠如」に基礎を置いていると主張する。二〇二二年に日本語訳が出た『カルロ・ロヴェッリの 科学とは何か』（拙訳、河出書房新社）のなかで、著者は科学と信仰の対立を次のように表現している。

一方には、好奇心、「確かさ」への反抗心、すなわち「変化」に基礎を置いた世界についての新たな知があり、もう一方には、その時代において支配的で、もっぱら神話-宗教的な思想がある。後者は「確かさ」の存在に全面的に依拠しており、そうした性質があるがゆえに、いかなる疑義も受けつけようとしない。

さらに、同著者による『すごい物理学講義』（拙訳、河出書房新社）の「神秘」と題された最終章でも、「確かさ」のテーマがとりあげられている。

知に本質的に備わっている不確かさを受け入れるなら、無知に浸かって生きることを受け入れなければならない。それはつまり、神秘のなかに、謎のなかに生きることである。［……］不確かさのなかで生きることは難しい。自身の限界の自覚から生じる不確かさを受け入れるくらいなら、たとえ明白に根拠を欠いていたとしても、確かさの方を選ぼうと考える人たちもいる。

「不確かさ（無知）」は不安を招きよせる。わたしたちは怖いから、「確かさ」にすがりつこうとする。だが、「確かさ」のもとで休らおうと決めたとき、学ぶ意欲は失われる。それは、知を愛し、知に向けて絶え間なく歩んでいく道のりを、志なかばで放り出すことにほかならない。信仰の問題をとりあげた第3部4章で、著者（オルディネ）はこうも書いている。『不確かさ』のなかで生きるべく定められていることの自覚、自分はもろい存在であると認める慎ましさ、間違いを犯すリスクにさらされているという意識だけが、他者とのほんとうの出会い、わたしたちとは違ったふうに考える人たちとの出会いに気づかせてくれる」（本書二三五頁）。知ること、他者からなにかを学ぶこと、科学の知をもって世界の見方を更新すること。それは、「確かさ」を手放す勇気をもった人間だけに許された営みであることを、物理学と文学の研究に生涯を捧げてきたふたりのイタリア人の言葉が伝えている。

本書の刊行後、著者は「人生のための古典　小さな理想の図書館」（*Classici per la vita. Una piccola biblioteca ideale*, La nave di Teseo, 2016）、「人は島ではない　古典は生きることを助ける」（*Gli uomini non sono isole. I classici ci aiutano a vivere*, La nave di Teseo, 2018）という、本書と同趣旨のアンソロジーを発表し、いずれも好評を博している。後者のタイトル（「人は島ではない」）は、ヘミングウェイ『誰がために鐘は鳴る』のエピグラフでも引用されている、イギリスの詩人ジョン・ダンの詩句に由来している。

人は誰しも、ひとつの島ではない。それだけで完全な存在ではない。誰もが大陸の欠片であり、大海の一部である。海の波が土くれを運び去れば、ヨーロッパは小さくなる。まるで岬が欠けるように、きみの友人の館が欠けるように。［……］誰であれ人が死ねば、わたしは小さくなる。なぜなら、わたしは人類の一部だから。だから、この鐘は誰のために鳴っているのかと問うてはいけない。それは、きみのために鳴っているのだ。

二〇一八年に刊行された著作のタイトルにジョン・ダンの詩句を選択した背景には、はっきりとした理由があると著者は書いている。いま、ヨーロッパでは、世界では、いったいなにが起きているか。人びとはいたるところで、壁を築き、柵を立て、鉄条網をはりめぐらせている。それもこれも、戦争から、飢えから、独裁者の拷問から、狂信的な宗教から逃れるべく、命の危険を冒しながら旅してきた人びとを足どめするためなのだ。商品、言語、信仰、芸術作品、書物、文化の交換を何世紀にもわたって促進してきた地中海が、いまや、移民・難民の遺体を納める「液状の棺」と化している。移民排斥をかかげるヨーロッパ各国の政党にとって、地中海はある土地から別の土地への移動や交流を促す場ではなく、「自然の障壁」として認識されている。無慈悲な冷笑主義《シニスム》で武装した政治家たちは、崩壊寸前の中産層の憤りや苦しみにつけこんで、貧しい人びと（今般の経済危機でもっとも割を食った人びと）とまた別の貧しい人びと（より豊かな国での未来を、死に物狂いで追い求める移民たち）の対立を煽《あお》っている。

このような時勢にあって、「人は島ではない」とするジョン・ダンの言葉はかつてない現代性を帯びている。わたしたちの誰もが、人類という大陸、人類という大海の一部であることを、いまこそ思い起こさなければならない。本書第2部3章で引用されているモンテスキユーの言葉（「祖国にとっては有益だが、ヨーロッパにとっては害がある知識、あるいは、ヨーロッパにとっては有益だが、人類にとっては害がある知識を得たら、わたしはそれを犯罪と見なすだろう」、一四七頁）と併せて読めば、ジョン・ダンの言葉はより力強く響くだろう。あるいは、日本の読者であれば、友愛を謳《うた》うジョン・ダンの詩句のとなりに、宮沢賢治『農民芸術概論綱要』の有名な一節、「世界がぜんたい幸福にならないうちは個人の幸福はあり得ない」を並べてみたくなるかもしれない。人は島ではない。わたしひとりが幸福になったところで、それはほんとうの幸福ではない。

イタロ・カルヴィーノ『なぜ古典を読むのか』（須賀敦子訳、河出書房新社）の冒頭には、著者の考える古典の定義が何点か挙げられている。そのうちのひとつに、「古典とはいつまでも意味の伝達を止めることがない本である」というものがある。大学で文学を学ぶのは、古典が沈黙の殻に閉じこもるのを防ぐためである。わたしたちに向けて語り、問いかけ、教えるための「声」を、古典に与えつづけるためである。文学を読んだところで、金銭的な見返りはないかもしれない。いい、いい、わたしひとりが幸福になりたいと願う人間にとって、文学はなんの役にも立たないかもしれない。それでも、わたしたちもまたその一部であるところのこの世界で、どのような生き方を選びとるか決断するにあたって、文学ほど「役に立つ」指針はほかにないということを、本書『無用の効用』は教えてくれている。

本書の第2部14章にあるとおり、「人文学（文系）の知と自然科学（理系）の知の不毛な対立」に火をつけることは著者の本意ではない。文学と哲学の話題が中心である著者の議論を科学の視点から補完してもらうため、イタリア語原書をはじめ、本書のフランス語、スペイン語などの各版には附録として、アメリカの教育家でありプリンストン高等研究所の初代所長でもある、エイブラハム・フレクスナーのエッセイ（*The Usefulness of Useless Knowledge*）が収められている。このエッセイは、すでにweb上で日本語訳（「役立たずな知識の有益性」山形浩生訳、https://cruel.org/other/useless/useless.pdf）が公開されているほか、二〇二〇年には書籍（エイブラハム・フレクスナー、ロベルト・ダイクラーフ『「役に立たない」科学が役に立つ』初田哲男監訳、野中香方子、西村美佐子訳、東京大学出版会）としても刊行されているため、本訳書への収録は見送った。それにともない、本書「はじめに」のなかでフレクスナーのエッセイに言及しているパラグラフもカットしてある。

本訳書の巻末に付された文献表には、日本語訳の書誌情報も記しておいた。著者がとりあげている数々の古典のうち、かなりの割合が日本語にも翻訳されているという事実に、訳者は大いに勇気づけられた。著者自身が書いているとおり、アンソロジーとはあくまで「手引き」でしかない。原典を手にとって、全体を読んでみようという思いを読者の胸中に引き起こせなければ、アンソロジーはその役目を果たしたとは言えない。この文献表を、読書の案内として活用していただければ幸いである。著者が引用している作品のうち、日本語訳が存在するものは可能なかぎり参照したが、「若い読者にもわかりやすく」という方針のもと、全体の表記・語調をそろえることに注力したため、既存の日本語訳とは似ても似つかぬ訳文になっているケースも少なくない。ご理解、ご寛恕《かんじょ》を願う次第である。また、複数の日本語訳が存在するケースについては、価格、刊行年、現時点での入手の容易さなどを勘案して文献表に載せる版を決めたが、明確な選択基準を設けてあるわけではないことをお断りしておく。

冒頭でも書いたとおり、本書はイタリアの内外で大きな反響を呼んだ書籍であるため、日本でも早い段階で、河出書房新社とは別の版元が翻訳権を取得していた。だが、いかなる事情によるものか、翻訳の作業が頓挫してしまい、権利がイタリア側に返却されることになったらしい。著者から相談を受けた訳者が、この企画を河出書房新社の携木敏男さんに提案したことで、本訳書は日の目を見ることとなった。また、権利のやりとりに際しては、版権エージェント「フォルトゥーナ」の榎本麻衣子さんにたいへんお世話になった。

訳者は二〇一〇年から二〇一五年まで、イタリアのカラブリア大学に留学し、オルディネ先生のもとでルネサンス文学を学んだ。講義での先生の情熱的な語り口、面談の席で示してくださった理解と愛情、卒業論文の口頭試問を終えたあとの暖かな抱擁は、いまでもはっきりとわたしの心に刻まれている。当然ながら先生は、日本からやってきた青年が優れた研究者に成長し、ルネサンス文学の普及に貢献することを望んでいただろう。だが、けっきょくわたしは、研究の道は中途で断念し、翻訳の世界へ迷いこんでしまった。不出来な教え子ではあるが、いったんは埋もれかけた先生の著作を日本の読者に届けることで、すこしは恩返しができたのではないかと思っている。

役に立たない文学を読む喜びを、ひとりでも多くの読者とわかちあい、すこしずつ、一歩ずつ、人類という大陸が豊かになることを願っている。

訳者識

二〇二二年十二月、佐倉にて

fr. et notes d'Étienne Barilier, Carouge-Genève, Éditions Zoé, 1998, p. 161.

G. Boccaccio, *Decameron*, cit.［ボッカッチョ『デカメロン　上』平川祐弘訳、河出書房新社、2017 年］

Gotthold Ephraim Lessing, *Nathan il saggio*, introduzione di Emilio Bonfatti, traduzione e note di Andrea Casalegno, Milano, Garzanti, 2009.［レッシング『賢者ナータン』丘沢静也訳、光文社、2020 年］

John Milton, *Areopagitica. Discorso per la libertà di stampa*, testo inglese a fronte, introduzione, traduzione, note e apparati di Mariano e Hilary Gatti, Milano, Bompiani, 2002.［ミルトン『言論・出版の自由――アレオパジティカ――他一篇』原田純訳、岩波書店、2008 年］

真理を追求するための本質的な手段としての「疑い（懐疑）」については、Gustavo Zagrebelsky による鋭い考察が参考になる。*Contro l'etica della verità*, Roma-Bari, Laterza, 2009.

相対主義についてはウンベルト・エーコが、なじみの明晰さで繰り返し論じている。多くの論稿のなかで、ここでは以下を挙げるにとどめる。*Assoluto e relativo: una storia infinita*, in "la Repubblica" del 10 e dell'11 luglio 2007（これは Elisabetta Sgarbi が主催する「ミラネジアーナ・フェスティバル」の一環として、2007 年 7 月 9 日に行われた講義の原稿である）.［ウンベルト・エーコ「絶対と相対」、『ウンベルト・エーコの世界文明講義』和田忠彦監訳、河出書房新社、2018 年］相対主義を擁護する議論としては、以下の文献も参照。Giulio Giorello, *Di nessuna chiesa. La libertà del laico*, Milano, Cortina, 2005.

G.E. Lessing, *Eine Duplik* (1778), in *Werke*, hrsg. Herbert G. Göpfert, Munich, Hanser, 1979, t. 8, pp. 32-33.

Michel Serres, *Il mal sano. Contaminiamo per possedere ?*, traduzione di Emanuela Schiano di Pepe, Genova, il melangolo, 2009, p. 44.

Ludovico Ariosto, *Orlando furioso*, prefazione e note di Lanfranco Caretti, Torino, Einaudi, 1971.［アリオスト『狂えるオルランド』脇功訳、名古屋大学出版会、2001 年］

Virgilio, *Eneide. Libri III-IV*, a cura di Ettore Paratore, traduzione di Luca Canali, Milano, Mondadori, 1978, vol. ii, pp. 8-9.［ウェルギリウス『アエネーイス』岡道男、高橋宏幸訳、京都大学学術出版会、2001 年］

M. De Cervantes, *Don Chisciotte della Mancia*, cit.［セルバンテス『ドン・キホーテ』前掲書］

D. Diderot, *Supplemento al viaggio di Bougainville. Con tre saggi in appendice tratti dai contributi diderotiani alla* Storia delle due Indie *dell'abate di Raynal*, traduzione e cura di Antonio A. Santucci, post fazione di Donatello Santarone, Roma, Editori Riuniti, 2012, iii, pp. 53-54.［ディドロ『ブーガンヴィル航海記補遺　他一篇』浜田泰佑訳、岩波書店、1953 年］

R.M. Rilke, *Poesie. I (1895-1908)*, edizione con testo a fronte, a cura di Giuliano Baioni, commento di Andreina Lavagetto, Torino, Einaudi, 1994, p. 782（本文中で引用したのは、リルケが Elena Voronina に宛てた、1899 年 3 月 9 日付の書簡）.

4章

Platone, *Simposio*, cit., (201d-212c), pp. 88-123.［プラトン『饗宴』前掲書］

G. Bruno, *De immenso*, cit., pp. 203-204 (trad. it. cit., p. 420). 本文中で引用した一節と、哲学および愛の探求の関係については以下を参照。N. Ordine, *La soglia dell'ombra. Letteratura, filosofia e pittura in Giordano Bruno*, cit., pp. 125-161.

G. Bruno, *La cena de le Ceneri*, in Id., *Opere italiane*, testi critici e nota fi lologica di Giovanni Aquilecchia, introduzione e coordinamento generale di N. Ordine, commento di G. Aquilecchia – Nicola Badaloni – Giorgio Barberi Squarotti – Maria Pia Ellero – Miguel Angel Granada – Jean Seidengart, Appendici di Lars Berggren – Donato Mansueto – Zaira Sorrenti, Torino, Utet, 2002, vol. i, p. 475 (G. Bruno, *La cena de le Ceneri – Le souper des Cendres*, texte établi par G. Aquilecchia, traduction d'Yves Hersant, introduction par Adi Ophir, notes par G. Aquilecchia, Paris, Les Belles Lettres, 1994, pp. 93-95).［ジョルダーノ・ブルーノ『聖灰日の晩餐』加藤守通訳、東信堂、2022 年］

M. De Montaigne, *Saggi*, cit., (iii, viii), pp. 1721-1723.［モンテーニュ『エセー　6』前掲書］

Erasmo Da Rotterdam, *Il lamento della pace [Querela pacis]*, testo latino a fronte, a cura di Carlo Carena, Torino, Einaudi, 1990, p. 37.［エラスムス『平和の訴え』箕輪三郎訳、岩波文庫、1961 年］

Sébastien Castellion, *Contre le libelle de Calvin après la mort de Michel Servet*, présentation, trad.

年]
H. Poincaré, *La scelta dei fatti*, in Id., *Scienza e metodo*, Torino, Einaudi, 1997. [ポアンカレ「事實の選擇」、『科学と方法』吉田洋一訳、岩波書店、1953 年]
以下に挙げる文献は、カント、クローデル、ラカンにおけるユウェナーリスの詩句を、精神分析的な観点から論じている。Alenka Zupančič, *Etica del Reale. Kant, Lacan*, Napoli, Orthotes, 2012, p. 35.

第3部　所有することは殺すこと——人間の尊厳、愛、真理

M. De Montaigne, *Saggi*, cit., (i, xlii), p. 471. [モンテーニュ『エセー　2』前掲書]

1章

M. De Montaigne, *Saggi*, cit. [モンテーニュ、同上]

2章

Ippocrate, *Ippocrate e Democrito (Epistole 10-21)*, in Id., *Lettere sulla follia di Democrito*, testo greco a fronte, a cura di Amneris Roselli, Napoli, Liguori, 1998. [「書簡集」今井正浩訳、『ヒポクラテス全集 第 2 巻』大槻真一郎編集・翻訳責任、エンタプライズ、1987 年]
Seneca, *Lettere morali a Lucilio*, testo latino a fronte, a cura di Fernando Solinas, prefazione di Carlo Carena, Milano, Mondadori, 1995, vol. i. [『倫理書簡集 I　セネカ哲学全集 5』高橋宏幸訳、岩波書店、2005 年]
Giovanni Pico Della Mirandola, *Discorso sulla dignità dell'uomo*, testo latino a fronte, a cura di Francesco Bausi, Parma, Fondazione Bembo/Ugo Guanda Editore, 2003. [ジョヴァンニ・ピコ・デッラ・ミランドラ『人間の尊厳について』大出哲、阿部包、伊藤博明訳、国文社、1985 年]
Leon Battista Alberti, *De commodis litterarum atque incommodis – Sulle comodità ed incomodità delle lettere*, testo latino, traduzione italiana, introduzione e note a cura di Giovanni Farris, Milano, Marzorati, 1971.
Pseudo-Longino, *Del sublime*, cit. [ロンギノス「崇高について」、ロンギノス/ディオニュシオス『古代文芸論集』前掲書]

3章

Antoine De Saint-Exupéry, *Cittadella*, riduzione e traduzione di Ezio L. Gaya, con la collaborazione di M.lle Simone de Saint-Exupéry, Roma, Edizioni Borla, 1991, liv (lv), p. 150 (Id., *Citadelle*, Paris, Gallimard, 1956, lv, p. 164). [「城砦　I」、『サン゠テグジュペリ著作集　1』山崎庸一郎 , 粟津則雄訳、みすず書房、1962 年]

ここでは以下の論稿を挙げるにとどめておく。Anthony Grafton e Jeffrey Hamburger, *Save the Warburg*, in "New York Review of Books", vol. LVII, number 14, 30 September 2010, pp. 72-74. 雑誌"Common Knowledge"（2012年冬季18巻第1号）は、ヴァールブルク研究所の所長Peter Mackと図書館長Jill Krayeを含むさまざまな識者の協力のもと、このデリケートな問題を取りあげている。

ナポリ「イタリア哲学研究所」の図書館をめぐる問題は、イタリア内外のメディア（新聞、ラジオ、テレビ）でさかんに報じられた。とくに"Corriere della Sera"紙には、研究所の書物の扱いについて多くの論説が発表された（2012年8月24-31日、9月1日、6日、10日）。

ベッサリオン枢機卿の書簡は以下の書籍のなかで引用されている。Eugenio Garin, *La cultura del Rinascimento*, Milano, il Saggiatore, 1988, p. 41.［E・ガレン『ルネサンス文化史』澤井繁男訳、平凡社、2011年］

14章

カサデヴォールが雑誌"Proceedings of the National Academy of Science"に発表したレポートについては、以下の解説を参照。Eugenia Tognotti, *Scienziati con il vizio della truffa*, in "La Stampa", 6 ottobre 2012, p. 1.

15章

Ioannis Stobai Anthologii libri duo priores qui inscribi solent Eclogae Physicae et Ethicae, recensuit Curt Wachsmuth, Berlin, 1884, vol. ii, p. 228, 25-29 (cap. xxxi, [Sull'istruzione e l'educazione], 114).

Plutarco, *Marcello*, in Id., *Vite*, a cura di Domenico Magnino, Torino, Utet, 1996, vol. iv, [17, 5-7], p. 265.［プルタルコス「マルケルス」、『英雄伝　2』柳沼重剛訳、京都大学学術出版会、2007年］

エウクレイデスの逸話とプルタルコスの証言をめぐる解釈については以下を参照。Lucio Russo, *La rivoluzione dimenticata. Il pensiero greco e la scienza moderna*, prefazione di Marcello Cini, Milano, Feltrinelli, 2010, pp. 232-240. 以下を併せて参照。Paolo Rossi, *I filosofi e le macchine, 1400-1700*, Milano, Feltrinelli, 2009, pp. 74-76.

16章

Henri Poincaré, *L'analisi e la fisica*, in Id., *Il valore della scienza*, a cura di Gaspare Polizzi, Firenze, La Nuova Italia, 1984.［ポアンカレ「解析学と物理学」、『科学の価値』吉田洋一訳、岩波書店、1977年］

Giovenale, *Satire*, introduzione di Luca Canali, premessa al testo, traduzione e note di Ettore Barelli, Milano, Rizzoli, 1980, [viii, 83-84], pp. 172-173.［ユウェナーリス「諷刺詩」、ペルシウス、ユウェナーリス『ローマ諷刺詩集』国原吉之助訳、岩波書店、2012

Bompiani, 2008. ［J・H・ニューマン「自己目的としての知識」、「知識と職業的技能」、『大学で何を学ぶか』ピーター・ミルワード編、田中秀人訳、大修館書店、1983年］

9章

J. Locke, *Pensieri sull'educazione*, cit., § 164, p. 215. ［ロック『教育に関する考察』前掲書］

Antonio Gramsci, *Quaderni del carcere*, edizione critica dell'Istituto Gramsci a cura di Valentino Gerratana, Torino, Einaudi, 1975, vol. iii, ["Quaderno 12", xxix], pp. 1543-1544. ［「知識人と教育」、デイヴィド・フォーガチ編『グラムシ・リーダー』東京グラムシ研究会監修・訳、御茶の水書房、1995年］

ラテン語やそのほかの古典語の擁護に捧げられた文章は枚挙に暇がない。ここでは、代表的なものとして2点だけ挙げるにとどめておく。Wilfried Stroh, *Le latin est mort, vive le latin. Petite histoire d'une grande langue*, Paris, Les Belles Lettres, 2008; *Sans le latin…*, sous la direction de Cécilia Suzzoni et Hubert Aupetit, Paris, Mille et une nuits, 2012 (この選集にはイヴ・ボヌフォワも寄稿している。Yves Bonnefoy, *Le latin, la démocratie, la poésie*, pp. 385-393).

文献学と自由の結びつきについては以下を参照。L. Canfora, *Filologia e libertà*, Milano, Mondadori, 2008 (ジョルジョ・パスクアーリについては、とくに12-13頁を参照).

古典語の記憶を失った文明が見舞われる破滅的な帰結については以下を参照。L. Canfora, *Difendere l'insegnamento del latino non è una battaglia di retroguardia*, in "Corriere della Sera", 11 giugno 2012, p. 32.

11章

G. Steiner, *La lezione dei maestri*, Milano, Garzanti, 2004, p. 24. ［ジョージ・スタイナー『師弟のまじわり』高田康成訳、岩波書店、2011年］

「補助的な」文学の侵蝕から古典を守るべく、スタイナーは幾度も重要な議論を展開している。とくに以下を参照。*Vere presenze* (Milano, Garzanti, 1992), *Nessuna passione spenta* (Milano, Garzanti, 1997), *La poesia del pensiero* (Milano, Garzanti, 2012).

Max Scheler, *Amore e conoscenza*, a cura di Edoardo Simonotti, Brescia, Morcelliana, 2009, p. 31（シェーラーが引用しているのは、ゲーテがフリードリヒ・ハインリヒ・ヤコービに宛てた、1812年5月10日付の書簡）. ［シェーラー『愛と認識』篠田一人訳、理想社、1960年］

12章

ヴァールブルク研究所とロンドン大学の対立については多くの論者が書いているが、

3章

Marc Fumaroli, *Le Accademie come beni comuni dell'umanità*, in *Uno scandalo internazionale*, Napoli, Istituto Italiano per gli Studi Filosofi ci, 2012, pp. 13-16（コレージュ・ド・フランスの設立経緯については以下を参照。*Les origines du Collège de France. 1500-1560*, sous la direction de M. Fumaroli, Paris, Klincksieck, 1998）.

Montesquieu, *Pensieri*, a cura di Domenico Felice e Davide Monda, Milano, Rizzoli, 2010, p. 41.

4章

V. Hugo, *Sostegno alle lettere e alle arti. Contro il pericolo dell'ignoranza (Discorso del 10 novembre 1848)*, in Id., *Contro i tagli alla cultura*, presentazione di Paolo Veronesi, traduzione di Carlotta Prada, Pavia, Ibis, 2011.

5章

Alexis De Tocqueville, *La democrazia in America*, a cura di Giorgio Candeloro, Milano, Rizzoli, 2011. ［トクヴィル『アメリカのデモクラシー　第二巻（上）』松本礼二訳、岩波書店、2008 年］

「役に立つこと」への過剰な傾倒に疑義を呈するトクヴィルの考察の重要性については、マルク・フュマロリが繰り返し論じている。

6章

Aleksandr Herzen, *Il passato e i pensieri*, progetto editoriale a cura di Lia Wainstein, Torino, Einaudi, 1996, vol. i, ("Parte quinta. Arabeschi d'Occidente ii"). ［ゲルツェン「第五部（一八四七－五二）　西ヨーロッパ小品集　第二ノート」、『世界文學大系　ゲルツェン　過去と思索 II』金子幸彦訳、筑摩書房、1966 年］

7章

G. Bataille, *Il limite dell'utile*, cit. ［ジョルジュ・バタイユ『呪われた部分　有用性の限界』中山元訳、筑摩書房、2003 年］

経済にたいするバタイユの姿勢については以下を参照。Giovambattista Vaccaro, *Per un'economia della distruzione*, in *Al di là dell'economico. Per una critica fi losofi ca dell'economia*, a cura di G. Vaccaro, Milano, Mimesis, 2008, pp. 15-42.

8章

John Henry Newman, *Discorso V. Il sapere come fine a se stesso* e *Discorso VII. Il sapere considerato in relazione alla competenza professionale*, in Id., *Scritti sull'università*, testo inglese a fronte, monografi a introduttiva, traduzione, note e apparati di Michele Marchetto, Milano,

25章

I. Calvino, *Le avventure di tre orologiai e di tre automi*, in Id., *Saggi. 1945-1985*, cit., vol. i, p. 535.［イタロ・カルヴィーノ「三人の時計師と三つのロボットの冒険」、『砂のコレクション』脇功訳、松籟社、1988 年］

科学にたいするカルヴィーノの関心については以下を参照。Massimo Bucciantini, *Italo Calvino e la scienza*, Roma, Donzelli, 2007.

26章

Emil Cioran, *La superba inutilità*, in Id., *Sommario di decomposizione*, traduzione di Mario Andrea Rigoni e Tea Turolla, con una nota di M.A. Rigoni, Milano, Adelphi, 2012, pp. 28-29.［E・M・シオラン「素晴しき無用性」、『崩壊概論』有田忠郎訳、国文社、1975 年］

E. Cioran, *Accenni di vertigine*, in Id., *Squartamento*, traduzione di M.A. Rigoni, con una nota introduttiva di Guido Ceronetti, Milano, Adelphi, 1981, p. 99 e p. 141.［E・M・シオラン「眩暈粗描」、『四つ裂きの刑』金井裕訳、法政大学出版局、1986 年］

第2部　企業としての大学と、顧客としての学生

Albert Einstein, *Lettera a Carl Seelig* (11 marzo 1952, ethz.ch, ae 39-013).［ここで引用されている一節は、以下の書籍に収録されている。ジェリー・メイヤー、ジョン・P・ホームズ編『アインシュタイン 150 の言葉』ディスカヴァー・トゥエンティワン、1997 年］

1章

Martha C. Nussbaum, *Non per profitto. Perché le democrazie hanno bisogno della cultura umanistica*, Bologna, il Mulino, 2011.［マーサ・C・ヌスバウム『経済成長がすべてか？　デモクラシーが人文学を必要とする理由』小沢自然、小野正嗣訳、岩波書店、2013 年］

人文学の知の擁護については、以下の論集もひじょうに参考になる。*A che serve la Storia. I saperi umanistici alla prova della modernità*, a cura di Piero Bevilacqua, Roma, Donzelli, 2011.

2章

Simon Leys, *Une idée de l'université*, in Id., *Le Studio de l'inutilité*, Paris, Flammarion, 2012, p. 288（書籍の末尾に配された章と序論のなかで、レイスは「役に立たないこと」というテーマについて興味深い分析を行っている）.

García Lorca, a cura di Giuseppe Bellini, Bagno a Ripoli (Firenze), Passigli, 2010, p. 11.［P・ネルーダ、S・F・ラライン『ネルーダ　愛の手紙　付：「20の愛の詩と1つの絶望の歌」』松田忠徳訳、東邦出版社、1977年。ただし、著者が本文中で引用しているロルカの言葉は、日本語版には収録されていない］

20章

Miguel De Cervantes, *Don Chisciotte della Mancia*, introduzione e note di Francisco Rico, testo spagnolo a fronte a cura di F. Rico, traduzione di Angelo Valastro Canale, Milano, Bompiani, 2012.［セルバンテス『ドン・キホーテ（全六冊）』牛島信明訳、岩波書店、2001年］

『ドン・キホーテ』と天安門広場のエピソードの類似性は、Rai Treで放送された番組Le Storie（2013年4月16日）でも話題になった。わたしはCorrado Augiasの質問に答える形で、道路の真ん中で腕を広げ戦車の進行を妨害する青年の写真に言及した。

21章

Charles Dickens, *Tempi difficili*, traduzione di Adriana Valori Piperno, introduzione di Piergiorgio Bellocchio, Milano, Garzanti, 1977.［チャールズ・ディケンズ『ハード・タイムズ』山村元彦、竹村義和、田中孝信共訳、英宝社、2000年］

22章

Martin Heidegger, *Seminari di Zollikon*, edizione tedesca di Medard Boss, a cura di Eugenio Mazzarella e Antonello Giugliano, Napoli, Guida, 2000, p. 224.［ハイデッガー『ツォリコーン・ゼミナール』メダルト・ボス編、木村敏、村本詔司訳、みすず書房、1991年］

23章

Zhaung-zi, a cura di Liou Kia-Hway, Milano, Adelphi, 2010, (xxvi), p. 252.［『荘子：全現代語訳　上・下』池田知久訳・解説、講談社、2017年］
Kakuzō Okakura, *Lo Zen e la cerimonia del tè*, cit., p. 67.［岡倉覚三『茶の本』前掲書］

24章

E. Ionesco, *Relazione per una riunione di scrittori* [Febbraio 1961], in *Note e contronote*. Scritti sul teatro, cit., pp. 142-143.［イヨネスコ「仏独作家集会への提言」、『ノート・反ノート』、前掲書］

15章

Théophile Gautier, *Prefazione*, in Id., *Mademoiselle de Maupin*, introduzione, traduzione e note di Lanfranco Binni, Milano, Garzanti, 2002 (以下の版に充実した解説が付されている。Th. Gautier, La Préface de *Mademoiselle de Maupin*, édition critique par Georges Matoré, Paris, Droz, 1946). ［テオフィル・ゴーチエ「序文」、『モーパン嬢　上』井村実名子訳、岩波書店、2006 年］

Jean Starobinski, *L'abbaglio dinanzi alla leggerezza. Ossia: il trionfo del clown*, in Id., *Ritratto dell'artista da saltimbanco*, a cura di Corrado Bologna, Torino, Bollati Boringhieri, 2002, p. 60 (スタロバンスキーは作家たちが用いるメタファーを分析することで、その詩学の本質的な特徴を浮き彫りにしようとしている). ［J・スタロバンスキー「軽やかさの眩惑または道化の勝利」、『道化のような芸術家の肖像』大岡信訳、新潮社、1975 年］

Th. Gautier, *Préface*, in Id., *Albertus ou l'âme et le péché, légende théologique*, Paris, Paulin, 1833.

16章

Ch. Baudelaire, *Ultimi scritti. Razzi, Il mio cuore messo a nudo, Povero Belgio*, traduzione e cura di Franco Rella, Milano, Feltrinelli, 1995. ［ボオドレール「火箭・赤裸の心」阿部良雄訳、『ポオ　ボオドレール　筑摩世界文学大系 37』小川和夫、鈴木信太郎、佐藤正彰ほか訳、筑摩書房、1973 年］

17章

John Locke, *Pensieri sull'educazione*, Firenze, La Nuova Italia, 1974 [1932], § 174, pp. 233-234. ［ロック『教育に関する考察』服部知文訳、岩波書店、1967 年］

当時の修辞学教育にたいするロックの批判については以下を参照。Carlo Augusto Viano, *John Locke*, Torino, Einaudi, 1960, p. 539. ロックが考える、有用な知識に立脚する「ジェントルマン」の観念については以下を参照。Ernesto Fagiani, *Nel crepuscolo della probabilità. Ragione ed esperienza nella filosofia sociale di John Locke*, Napoli, Bibliopolis, 1983, pp. 29-47.

18章

Giovanni Boccaccio, *Decameron*, a cura di Vittore Branca, Torino, Einaudi, 1980, (*Introduzione alla IV giornata*), pp. 468-469. ［ボッカッチョ「第四日まえがき」、『デカメロン　中』平川祐弘訳、河出書房新社、2017 年］

19章

Pablo Neruda, *Venti poesie d'amore e una canzone disperata*, con una testimonianza di Federico

Platone, *La Repubblica*, traduzione e commento a cura di Mario Vegetti, Napoli, Bibliopolis, 2003, vol. v.［プラトン『国家　下』藤沢令夫訳、岩波書店、1979 年］

M. Vegetti, *Il regno filosofico*, in Platone, *La Repubblica. Libro V*, traduzione e commento a cura di M. Vegetti, Napoli, Bibliopolis, 2000, vol. iv, pp. 335-364.

11章

Immanuel Kant, *Critica del Giudizio*, traduzione di Alfredo Gargiulo, Bari, Laterza, 1984, § 2, p. 45.［カント『判断力批判』熊野純彦訳、作品社、2015 年］

12章

Ovidio, *Metamorfosi*, a cura di Alessandro Barchiesi, con un saggio introduttivo di Charles Segal, testo critico basato sull'edizione oxoniense di Richard Tarrant, traduzione di Ludovica Koch, Milano, Mondadori, 2005, vol. i, [i, 131], pp. 18-19.［オウィディウス『変身物語　上』中村善也訳、岩波書店、1981 年］

Ovidio, *Epistulae ex Ponto*, in *Opere. I*, edizione con testo a fronte, a cura di Paolo Fedeli, traduzione di Nicola Gardini, Torino, Einaudi, 1999, [i, 5, vv. 53-54], pp. 836-837.［オウィディウス『悲しみの歌・黒海からの手紙』木村健治訳、京都大学学術出版会、1998 年］

『黒海からの手紙』の以下の版に付された解説も、「役に立たないこと」というテーマに言及している。Ovid, *Epistulae ex Ponto. Book 1*, Edited with Introduction, Translation and Commentary by Jan Felix Gaertner, Oxford, Oxford University Press, 2005, p. 334.

13章

Michel De Montaigne, *Saggi*, traduzione di Fausta Garavini, note di André Tournon, testo francese a fronte a cura di A. Tournon, Milano, Bompiani, 2012.［ミシェル・ド・モンテーニュ『エセー　1-7』宮下志朗訳、白水社、2005-2016 年］

『エセー』にかんする以下の論稿も参照。A. Tournon, *"Route par ailleurs". Le "nouveau langage" des* Essais, Paris, Champion, 2006, p. 113.

14章

Giacomo Leopardi, *Tutte le poesie e tutte le prose*, a cura di Lucio Felici e Emanuele Trevi, edizione integrale, Roma, Newton & Compton, 1997.［『断想集』については、以下の日本語訳がある。レオパルディ『断想集』國司航佑訳、幻戯書房、2020 年］

「ロ・スペッタトーレ・フィオレンティーノ」と「役に立たないこと」というテーマについては以下を参照。Gino Tellini, *Leopardi*, Roma, Salerno editrice, 2001, pp. 219-236.

肉体と金銭の同一視については以下を参照。John Drakakis, *Jew. "Shylock is my name": Speech-prefixes in The Merchant of Venice as Symptoms of the Early Modern*, in *Shakespeare and Modernity. Early Modern to Millennium*, edited by Hugh Grady, London and New York, Routledge, 2000, pp. 112-113 (以下を併せて参照。Chiara Lombardi, *Mondi nuovi a teatro. L'immagine del mondo sulle scene europee di Cinquecento e Seicento: spazi, economia, società*, Milano, Mimesis, 2011, pp. 113-137).

キリスト教徒と（野獣、悪魔的存在と見なされる）非－キリスト教徒の対置については以下を参照。Michele Stanco, *Il contratto ebraico-cristiano: l'usura, la penale, il processo in* The Merchant of Venice, in Id., *Il caos ordinato, Tensioni etiche e giustizia poetica in Shakespeare*, Roma, Carocci, 2009, pp. 129-156.

シャイロックをめぐるマルクスの考察については以下を参照。Luciano Parinetto, *Marx e Shylock*, in L. Parinetto e Livio Sichirollo, *Marx e Shylock. Kant, Hegel, Marx e il mondo ebraico, con una nuova traduzione di Marx, La questione ebraica*, Milano, Unicopli, 1982, pp. 27-114.

Franco Marenco, *Barabas-Shylock: ebrei o cristiani ?*, in *Il personaggio nelle arti della narrazione*, a cura di F. Marenco, Roma, Edizioni di Storia e Letteratura, 2007, pp. 169-189.

利潤をめぐるプロテスタントの美学と英国のピューリタンについては以下を参照。Max Weber, *L'etica protestante e lo spirito del capitalismo*, prefazione di Francesco Giavazzi, traduzione di A.M. Marietti, Milano, Rizzoli, 2009.［マックス・ヴェーバー『プロテスタンティズムの倫理と資本主義の精神』大塚久雄訳、岩波書店、1989 年］

9章

Aristotele, *Metafisica*, in Id., *Opere. VI*, traduzione di Antonio Russo, Roma-Bari, Laterza, 1992, [i (a), 2, 982-b], pp. 8-9.［アリストテレス『形而上学　上』出隆訳、岩波書店、1959 年］

10章

Platone, *Teeteto*, traduzione, presentazione e note a cura di Claudio Mazzarelli, in Id., *Tutti gli scritti*, a cura di Giovanni Reale, Milano, Bompiani, 2000.［プラトン『テアイテトス』田中美知太郎訳、岩波書店、2014 年］

『テアイテトス』に見られる哲学上の成功と人生における不成功の対立については以下を参照。Paul Ricoeur, *Être, essence et substance chez Platon et Aristote. Cours professé à l'Université de Strasbourg en 1953-1954*, texte verifié et annoté par Jean-Louis Schlegel, Paris, Seuil, 2011, pp. 47-48.

井戸に落ちたタレスがトラキアの女たちの笑いものになったというトポスについては以下を参照。Hans Blumenberg, *Il riso della donna di Tracia. Una preistoria della teoria*, Bologna, il Mulino, 1988.

Francesco Bacone, *Nuova Atlantide*, testo inglese a fronte, a cura di Paolo Guglielmoni, Milano, Rusconi, 1997.［ベーコン『ニュー・アトランティス』川西進訳、岩波書店、2003年］

Raymond Trousson, *Lo sviluppo dell'utopia moderna*, in Id., *Viaggi in nessun luogo. Storia letteraria del pensiero utopico*, introduzione di Vita Fortunati, Ravenna, Longo Editore, 1992, pp. 62-63.

モアとカンパネッラの共通点については以下を参照。Henri Denis, *Il comunismo di Moro e di Campanella*, in Id., *Storia del pensiero economico. Vol. I. Da Platone a Ricardo*, Milano, Mondadori, 1990, pp. 142-153.

7章

Robert Louis Stevenson, *L'isola del tesoro*, traduzione di Piero Jahier, con un saggio di Pietro Citati, Torino, Einaudi, 2002.［ロバート・L・スティーヴンソン『宝島』鈴木恵訳、新潮社、2016年］

Geminello Alvi, *Il capitale*, in Id., *Il capitalismo: verso l'ideale cinese*, Venezia, Marsilio, 2011, (cap. 11), pp. 191-193.

スティーヴンソンと道徳の関係については、以下の明晰な分析を参照。Fernando Savater, *Stevenson e la morale*, in Id., *Pirati e altri avventurieri. L'arte di raccontare storie*, Bagno a Ripoli (Firenze), Passigli, 2010, pp. 103-110.

貨幣が有する非－金銭的な価値にたいするジムの関心については、イタリア語版Wikipediaの『宝島（*L'isola del tesoro*）』の項目にも短い記述がある。

8章

William Shakespeare, *Il mercante di Venezia*, traduzione e cura di Agostino Lombardo, Milano, Feltrinelli, 2010.［『ヴェニスの商人　シェイクスピア全集10』松岡和子訳、筑摩書房、2002年］

ルネサンス文学におけるシレノスの表象については以下を参照。Nuccio Ordine, *L'asino come i sileni: le apparenze ingannano*, in Id., *La cabala dell'asino. Asinità e conoscenza in Giordano Bruno*, prefazione di Eugenio Garin, Napoli, Liguori, 1996, pp. 109-118.［ヌッチョ・オルディネ「シレノスとしてのロバ――外観の欺瞞について」、『ロバのカバラ――ジョルダーノ・ブルーノにおける文学と哲学』加藤守通訳、東信堂、2002年］このテーマをめぐる図像学や関連文献については、以下を併せて参照。N. Ordine, *L'ermeneutica del Sileno*, in Id., *La soglia dell'ombra. Letteratura, filosofia e pittura in Giordano Bruno*, prefazione di P. Hadot, Venezia, Marsilio, 2009, pp. 37-40.

『ヴェニスの商人』における「余剰」のテーマについては以下を参照。Helen Moore, *Superfluity versus Competency in* The Merchant of Venice, in *Le superflu, chose très nécessaire*, cit., pp. 117-121.

Milano, Garzanti, 2006, p. 23.

第1部　文学は〈役立たず〉だが〈役に立つ〉

Victor hugo, *I miserabili*, introduzione e traduzione di Mario Picchi, Torino, Einaudi, 2006, [parte iv, libro vi, cap. 2], p. 891.［ユゴー『レ・ミゼラブル（四）』佐藤朔訳、新潮社、1967 年］

1章

Vincenzo Padula, *Le vocali. Ossia la prima lezione di mio padre*, in Id., *Persone in Calabria*, introduzione di Carlo Muscetta, bibliografia a cura di Attilio Marinari, Manziana (Roma), Vecchiarelli, 1993, p. 22 e p. 25.

3章

David Foster Wallace, *Questa è l'acqua*, a cura di Luca Briasco, traduzione di Giovanna Granato, Torino, Einaudi, 2009, p. 143.［デヴィッド・フォスター・ウォレス『これは水です』阿部重夫訳、田畑書店、2018 年］

4章

Gabriel García Márquez, *Cent'anni di solitudine*, in Id., *Opere*, a cura di Rosalba Campra, introduzione di Cesare Segre, Milano, Mondadori, vol. i, 1998.［G・ガルシア＝マルケス『百年の孤独』鼓直訳、新潮社、2006 年］

5章

Dante Alighieri, *Opere Minori. Convivio*, a cura di Cesare Vasoli e Domenico De Robertis, Milano-Napoli, Ricciardi, 1995, [vol. ii, t. ii], [i, ix, 3-4], p. 61.［『饗宴　上巻　ダンテ全集 5』中山昌樹訳、日本図書センター、1995 年］

Francesco Petrarca, *Canzoniere*, edizione commentata a cura di Marco Santagata, Milano, Mondadori, 1996, (7), p. 35.［ペトラルカ『カンツォニエーレ：俗事詩片』池田廉訳、名古屋大学出版会、1992 年］

6章

Tommaso Moro, *I viaggi degli Utopiani*, in Id., *L'utopia*, prefazione di Margherita Isnardi Parente, traduzione, introduzione e cura di Tommaso Fiore, Roma-Bari, Laterza, 2007.［トマス・モア『ユートピア』平井正穂訳、岩波書店、1957 年］

Tommaso Campanella, *La Città del Sole*, a cura di Germana Ernst, Milano, Rizzoli, 1996.［カンパネッラ『太陽の都』近藤恒一訳、岩波書店、1992 年］

および、書物と自由の結びつきについては以下を参照。Luciano Canfora, *Libro e libertà*, Roma-Bari, Laterza, 1994.

Benedetto Croce, *La fine della civiltà*, in Id., *Filosofia e storiografia*, Napoli, Bibliopolis, 2005, p. 285.

Jorge Luis Borges, *La muraglia e i libri*, in Id., *Altre inquisizioni*, prefazione di Francesco Testori Montalto, Milano, Feltrinelli, 1976, p. 9. ［J. L. ボルヘス「城壁と書物」、『続審問』中村健二訳、岩波書店、2009 年］

Cicerone, *Paradossi degli Stoici*, testo latino a fronte, a cura di Renato Badalì, Milano, Rizzoli, 2010, [vi, 43], p. 181. ［キケロ「ストア派のパラドックス」水野有庸訳、『世界の名著　13　キケロ　エピクテトス　マルクス・アウレリウス』鹿野治助編、中央公論社、1968 年］

Pseudo-Longino, *Del sublime*, testo greco a fronte, traduzione e note di Francesco Durante, introduzione di N. Ordine, Milano, Rizzoli [edizione speciale per il "Corriere della Sera"], 2012. ［ロンギノス「崇高について」、ロンギノス／ディオニュシオス『古代文芸論集』戸高和弘、木曽明子訳、京都大学学術出版会、2018 年］

Giordano Bruno, *De immenso*, in Id., *Opera Latine conscripta*, publicis sumptibus edita, recensebat F. Fiorentino [F. Tocco, H. Vitelli, V. Imbriani, C.M. Tallarigo], apud Dom. Morano [Florentiae, typis successorum Le Monnier], Neapoli, 1879-1891, [vol. i, 1], p. 208.

John Maynard Keynes, *Possibilità economiche per i nostri nipoti*, seguito da Guido Rossi, *Possibilità economiche per i nostri nipoti ?*, Milano, Adelphi, 2009, pp. 28-29. ［ジョン・メイナード・ケインズ「孫の世代の経済的可能性」、『ケインズ説得論集』山岡洋一訳、日経 BP、2021 年］1930 年に発表されたこの文章、および、ケインズのほかの著作にも認められるユートピア的な夢想については、上記書籍に付された Guido Rossi の論稿（「孫の世代の経済的可能性とは？」）が示唆に富む分析を加えている。

G. Bataille, *Choix de lettres. 1917-1962*, édition établie, présentée et annotée par Michel Surya, Paris, Gallimard, 1997, pp. 377-379. ［『バタイユ書簡集　一九一七－一九六二年』岩野卓司ほか訳、水声社、2022 年］

George Steiner, *Prefazione* a Rob Riemen, *La nobiltà di spirito. Elogio di una virtù perduta*, Milano, Rizzoli, 2010, p. 7.

Italo Calvino, *Le città invisibili*, in *Romanzi e racconti*, a cura di Mario Barenghi e Bruno Falcetto, Milano, Mondadori, 1992, vol. ii, pp. 497-498. ［イタロ・カルヴィーノ『見えない都市』米川良夫訳、河出書房新社、2010 年］

I. Calvino, *Perché leggere i classici*, in Id., *Saggi. 1945-1985*, a cura di M. Barenghi, Milano, Mondadori, 1995, vol. ii, p. 1824. ［イタロ・カルヴィーノ『なぜ古典を読むのか』須賀敦子訳、河出書房新社、2012 年］

R. Riemen, *Prologo*, in G. Steiner, *Una certa idea di Europa*, prefazione di M. Vargas Llosa,

通を含む』安家達也訳、未知谷、2022 年]

Edmond Rostand, *Cyrano de Bergerac*, préface et commentaire de Claude Aziza, Paris, Presses Pocket, 1989, [v, vi], p. 337.［ロスタン『シラノ・ド・ベルジュラック』渡辺守章訳、光文社、2008 年］

E. Ionesco, *Conversazione con i "Cahiers libres de la jeunesse"* [1960], in Id., *Note e contronote*, cit., p.112.［イヨネスコ「『青年自由手帳』誌との対話」、『ノート・反ノート』前掲書］

Pietro Barcellona, *Elogio del discorso inutile. La parola gratuita*, Bari, Dedalo, 2010, p. 15. 著者（バルチェッローナ）はこの魅惑的な書物のなかで、効果や有用性を見積もることばかりを志向し、そうした概念が人間のあいだに引き起こす対立について真剣に考慮しようとしない議論を批判している。

Pierre Lecomte du Noüy, *L'intelligence, les gestes inutiles, le mariage*, in Id., *La dignité humaine*, Paris, Fayard, 1967, pp. 79-86 (la citazione è a p. 79). 同著者による以下の書籍を併せて参照。*L'avenir de l'ésprit*, Paris, Gallimard, 1941, (ix), p. 204. わたしがデュ・ヌイを引用したのはあくまで、「役に立たないこと」にかんする彼の見解を参照するためである。デュ・ヌイの宗教的な信念や哲学的な議論の帰結は、本書の内容とはかならずしも結びつかない。

Miguel Benasayag – Gérard Schmit, *L'epoca delle passioni tristi*, Milano, Feltrinelli, 2011, (5), p. 64.

Mario Vargas Llosa, *Elogio della lettura e della finzione*, Torino, Einaudi, 2011, p. 33.

Oscar Wilde, *Il ventaglio di Lady Windermere*, in Id., *Tutte le opere*, a cura di Masolino d'Amico, con un saggio di James Joyce, Roma, Newton Compton, 2011, atto ii, p. 402［オスカー・ワイルド『サロメ・ウィンダミア卿夫人の扇』西村孝次訳、新潮社、2005 年］（以下を併せて参照。*Prefazione* a *Il ritratto di Dorian Gray, ibidem*, p. 26［ワイルド「序文」、『ドリアン・グレイの肖像』仁木めぐみ訳、光文社、2006 年］）.

Voltaire, *Le Mondain*, in *Les Œuvres complètes de Voltaire*, vol. 16, critical edition by H.T. Mason, Oxford, Voltaire Foundation, 2003, (v. 22), p. 296. ただし、ヴォルテールは「余剰」の概念を、たんに芸術やリベルタン的な価値を体現しているだけでなく、経済的な観点から奢侈を賛美するものとしても捉えていた。文学と芸術における「余剰」のテーマについては、以下の論集で興味深い分析がなされている。*Le superflu, chose très nécessaire*, sous la direction de Gaïd Girard, Rennes, Presses Universitaires de Rennes, 2004.

E. Ionesco, *Relazione per una riunione di scrittori francesi e tedeschi* [Febbraio 1961], in Id., *Note e contronote*, cit.［イヨネスコ「仏独作家集会への提言」、『ノート・反ノート』前掲書］

焚書や図書館の破壊については以下を参照。Lucien X. Polastron, *Libri al rogo. Storia della distruzione infinita delle biblioteche*, Milano, Edizioni Sylvestre Bonnard, 2006. 図書館、

引用・参考文献リスト（本文で言及されている順に掲載）

はじめに

Pierre Hadot, *La philosophie est-elle un luxe ?*, in Id., *Exercices spirituels et philosophie antique*, préface d'Arnold I. Davidson, Paris, Albin Michel, 2002, pp. 362-363.

Stefano Rodotà, *Il diritto di avere diritti*, Roma-Bari, Laterza, 2012.

Jean-Jacques Rousseau, *Discorsi sulle scienze e sulle arti*, introduzione e note di Luigi Luporini, traduzione di Rodolfo Mondolfo, Milano, Rizzoli, 2002, ii, p. 53.［「学問芸術論」、『ルソー全集　第4巻』山路昭（ほか）訳、白水社、1978年］

Denis Diderot, *Satire contre le luxe*, in Id., *Regrets sur ma vieille robe de chambre ou Avis à ceux qui ont plus de goût que de fortune* suivi de la *Satire contre le luxe*, Paris, Éditions de l'Éclat, 2011, p. 42.

Charles Baudelaire, I fiori del male, a cura di Carlo Muscetta, Roma-Bari, Laterza, 1984, pp. 14-15.［ボードレール『悪の華』堀口大學訳、新潮社、2002年］

Gustave Flaubert, *Dizionario dei luoghi comuni*, traduzione di J. Rodolfo Wilcock, Milano, Adelphi, 1980, p. 92.［フローベール『紋切型辞典』小倉孝誠訳、岩波書店、2000年］

Friedrich Hölderlin, *Andenken – Ricordo*, in Id., *Le liriche*, a cura di Enzo Mandruzzato, Milano, Adelphi, 1993, pp. 562-563.［「回想」、『ヘルダーリン詩集』川村二郎訳、岩波書店、2002年］ヘルダーリンの詩については以下を参照。Martin Heidegger, *Hölderlin – Viaggi in Grecia*, testo tedesco a fronte, a cura di Tommaso Scappini, Milano, Bompiani, 2012.［『ハイデッガー全集　第75巻　ヘルダーリンに寄せて：付・ギリシア紀行』辻村公一（ほか）編、創文社、2003年］

Platone, *Simposio*, a cura di Giovanni Reale, Milano, Mondadori, 2001, (175d), pp. 16-17.［プラトン『饗宴』久保勉訳、岩波書店、1965年］

Eugène Ionesco, *Relazione per una riunione di scrittori francesi e tedeschi* [Febbraio 1961], in Id., *Note e contronote*, Torino, Einaudi, 1965, p. 143.［イヨネスコ「仏独作家集会への提言」、『ノート・反ノート』大久保輝臣訳、白水社、1970年］

Kakuzō Okakura, *Lo Zen e la cerimonia del tè*, con uno scritto di Everett F. Bleiler, traduzione e cura di Laura Gentili, Milano, Feltrinelli, 2012, p. 67.［岡倉覚三『茶の本』村岡博訳、岩波書店、2007年］

Rainer Maria Rilke, *Lettere a un giovane poeta*, Milano, Adelphi, 2001, p. 25.［ライナー・マリア・リルケ（ほか）『若き詩人への手紙 若き詩人F・X・カプスからの手紙11

栗原俊秀（くりはら・としひで）
1983年生まれ。翻訳家。訳書に、ロヴェッリ『すごい物理学講義』、『カルロ・ロヴェッリの　科学とは何か』、スクラーティ『小説ムッソリーニ　世紀の落とし子』（上下）など多数。第２回須賀敦子翻訳賞、イタリア文化財文化活動省翻訳賞を受賞。

無用《むよう》の効用《こうよう》

2023年２月18日　初版印刷
2023年２月28日　初版発行

著　者　ヌッチョ・オルディネ
訳　者　栗原俊秀
装　幀　岩瀬聡
発行者　小野寺優
発行所　株式会社河出書房新社
〒151-0051　東京都渋谷区千駄ヶ谷2-32-2
電話（03）3404-1201［営業］（03）3404-8611［編集］
https://www.kawade.co.jp/
組　版　KAWADE DTP WORKS
印　刷　株式会社暁印刷
製　本　小泉製本株式会社
Printed in Japan
ISBN978-4-309-23124-2